花
千
樹

活得真累

——正向心理學給你的三把人生鑰匙

Lo's Psychology 著

前言

我希望這本書能為大家帶來很多很多的思考及鼓勵。

和花千樹出版有限公司合作的第一本書《改變人生的正向心理學——尋找快樂，追求夢想》中，我們講述了很多關於正向心理學的知識，包括正向心理學的發展歷史、什麼是快樂、什麼是幸福、要追逐夢想成就卓越時應該抱持的心態和行為模式，內容種類實在是五花八門，翻過那本書的你，總會找到一章適合你去閱讀。這本書有別於前作，主題只有一個，就是希望為各位解開各種各樣的心理枷鎖。

在 Lo's Psychology 心理學科普平台的營運中，筆者時常都會用到 Instagram 的「問和答」收集讀者的問題，然後回答讀者的提問。回答的內容未必跟心理學科學知識有關，更多的可能是筆者自己對生命的一些體會和分享，又或者潛移默化下，已不知不覺滲透了各種心理學知識於生活之中。筆者欣見讀者們喜歡在這種模式下的交流，而那幾天的觸及率往往出現爆升（笑）。隨著成長，以及年月及經歷的累積，每一個人的心靈中都有很多形形色色的心結（mental blocks），它們往往拉著我們的大腿，令我們寸步難行，甚至令我們的精神健康響起警號。

這些心結離不開幾種性質：

一、渾渾噩噩的生命。很多人不知道自己的人生應該怎樣

過，他們沒有目標、沒有夢想、沒有方向。這樣的生活就像一艘失去舵手的船、失去導航系統的飛機一樣，飄飄浮浮，沒有一絲的實在；

　　二、明知要改變卻總是諸多藉口不作行動。你心裡很清楚，有些事要去做、你要轉換工作環境、你要結束一段不斷折磨著你的關係……但你總是以「不變應萬變」的態度拒絕改變，你以為維持原狀就是最好的方法，但你心知肚明要解決困擾，踏出舒適圈是最終極的方法；

　　三、將自己的價值建立在他人的認同上。受此困擾的人往往非常介意別人的目光，自我價值高與低全憑別人支配；

　　四、沉溺於過往之中，總是在後悔，又或是不能自已地憂心著未來……

　　本書的出版就是來自一個這樣的背景，我們每個人都有一些心結，我們可以如何看待這些心結？又可以如何解開這些心結？我希望這本書能為正在迷惘的大家帶來一點點的鼓勵。

　　跟本平台曾出版的所有書籍一樣，本書只為科普讀物，出版過程沒有學術研究出版必經的「同行評審」（peer review）過程。本書提出的心理學理論固然是真實的學術知識，但始終不是一個

學術研究結果的原始來源（original source），也就是說，當各位讀者，尤其在讀大專院校心理學系的學生，若然發現本書內容有助你工作（例如寫作學術文章）的話，請自行尋找該心理學的原始來源再作引用，直接引用本書並不恰當，亦不符合學術專業的準則。本書並不適合在各種學術文章中被引用。

有人說，我們來到這個世上，並不是來享福，也不是來受苦，而是來這裡用八十年的時間體驗生命的五味雜陳。在這甜酸苦辣的人生中，快樂少不了、悲傷免不了、相聚少不了、分離亦免不了。一切，全憑自己怎樣去看，你願意的話，總能從黑夜中看到光。

希望大家讀完這本書後都能得到能量，解開自己的心結。

Dr. Lo
Lo's Psychology 心理學科普平台創辦人
香港大學心理學系哲學博士
英國心理學會特許心理學家
美國心理學會會員
香港心理學會副院士
二〇二一年三月三十一日

如何閱讀這本書

這本書分為三個部分。

第一部分的重點是「改變」二字，筆者會闡述為什麼很多人都沒有人生目標，不知道為了什麼在這世界上生活。每天營營役役地生活，不斷重複。但在重複之中，卻沒有什麼指導著他們前進的方向。改變二字或許是解決這個困境的終極方法。如何改變？靠的就是我們自己。

第二部分的重點是「內在世界」。內在世界即自己控制的世界。我們的生命有自己能控制的部分，也有一些我們不能控制的地方。若我們只在意他人的評論、期望等這些自己不能控制的地方，我們的內心世界將會被掏空。很多時候，我們都應該要「自我」一點。

第三部分的重點是「現在」。一個人的生命線由三樣東西組成，分別是過去、現在及未來。我們總喜歡沉醉於過去的後悔，以及過分擔憂未來的煩惱，卻忽略了最重要的當刻。

要解開心結，「改變」、「內在世界」及「現在」或許就是我們最需要的三條鑰匙。

目錄

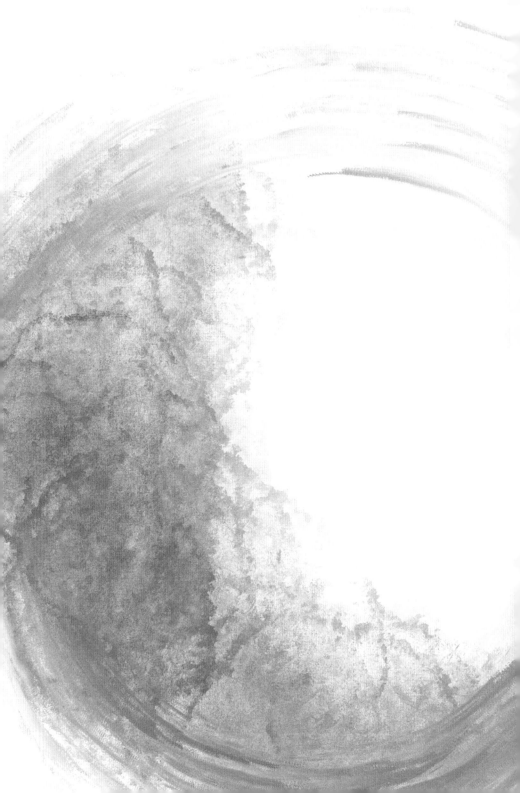

第一部分：

改變

　　改變是唯一永恆不變的事。地球在變、社會在變、我們對人生的看法也天天在變。面對改變這種發生在每時每刻的東西，我們卻時常覺得恐懼。這種恐懼來自我們人類的動物本能，因為啟動改變的過程就像要火箭脫離地球表面引力般困難，需要大量的能量；改變也令我們必須適應不穩定，這更是動物本能中最討厭的事。我們都不肯改變，但諷刺的是，面對人生困境和停滯不前，我們心知肚明改變了會更好。

渾渾噩噩的自己。
我沒有目標……

第一章
• • •

我沒有目標。
我不知道自己想做什麼。

在和學生或讀者的交流中（他們大都是二十至二十五歲的年輕群體），筆者其中一個最深刻的印象——

「我知道自己討厭什麼。但如果說是喜歡什麼，或者有什麼人生目標和夢想的話，我真的不知道。」

筆者相信這句話不只適用於年輕群體，在很多三四十歲，甚至更年長的群體，不少人或許都會有相同的思想困擾。有些人終日為了糊口，沒有時間或認知能力資源上的空閒條件尋找或思考夢想；有些人本來對生活充滿熱情，卻因為種種失意的經歷而變得稜角盡失，熱情盡滅，選擇向現實屈服及認輸。

知道自己不喜歡些什麼很簡單，知道自己熱愛什麼卻很難。這和人類大腦感知負面和正面資訊的差異有關。人類大腦對負面資訊產生的情感強度，是對相同程度的正面資訊的兩倍。例如，你在投資市場損失了一萬元，你所產生的負面情緒（如後悔、懊惱、心痛等）強度等於你賺到兩萬元時所產生的正面情緒（如開心、興奮等）強度。這在心理學上稱為損失規避（loss aversion）。

你十分清楚你討厭的是什麼，因為那種負面的感覺是十分直觀及容易理解的。但一旦問你喜歡的是什麼，有什麼人生目標的話，除了正面的感覺沒有那麼容易被深刻理解和記住之外，我們還很喜歡以一種物質主義（materialistic）的分析態度去將自己喜歡的事物聯繫到「有沒有用處」這種功能性的目標上。例如人們常說：「做運動員在亞洲地區是賺不了錢的，踢足球不會有前途。」

當年輕人思考喜歡什麼的時候，往往會被這種功利的物質主義思想所控制，令自己思考夢想的心態不夠自由、不夠勇敢。每當你將興趣和這些所謂「有用」的目標（如各種職業的光環和金錢）掛鉤時，你的基本心理需求將會不能被滿足（相關理論會在往後章節有詳細介紹）。當你對自己的興趣沒有純粹的熱情時，又怎能將之變成你的人生目標？又怎能將之用作達成你那個所謂「有用」的目標呢？

為什麼沒有夢想？
讀書制度令我們沒有想過什麼是目標及夢想

　　現在沒有目標，沒關係，很多人都沒有。從現在開始努力尋找就可以了。

　　基本上現代人從三歲開始，就進入了「學校系統」（schooling system）裡讀書，撇除大學教育，絕大部分人都會在「學校系統」中讀書至十七歲左右。「讀書」和「學習」這兩個概念時常會被混淆。「讀書」不等於「學習」，一個學生可以「讀書」讀得很出色，卻「學習」不了任何東西；另一方面，有些人學業成績不理想，卻在其他領域學習到了很多知識和技術。在「學校系統」中，我們的主要目標是「讀書」，並沒有太多機會去學習或者思考自己的目標和夢想。

　　「讀書」是在封閉學校系統的行為，它主要訓練一個人在書本上的知識，這跟邏輯分析能力（analytical reasoning）有密切關係。擁有強勁邏輯分析智力的人一般來說在學業上較有優勢。「讀書」通常在二十三歲之前結束（假設他在大學畢業之後沒有再於學校系統中進修）。而「學習」則是終生的，它在一個完全開放的人生系統下進行。這個開放的系統可以是在學校、書本、自身修養、待人接物、日常生活中學習得來的知識。如果說「讀書」是有時限及封閉的，那麼「學習」便是無時限及遼闊的。「讀書」

只是「學習」其中一個很狹窄的表現模式。可悲的是，現代社會卻無限放大「讀書」這種只能應用在學校系統的行為，完全忽略了「學習」這種應用於整個人生的行為。「讀書」很好但不會終生「學習」的人滿街都是。結果學生在學校不知道為什麼要讀書，卻要面對來自社會和家庭的「讀好書，將來才有出息」這種社會規範（social norm）施加的壓力。大學畢業後就像「放監」一般，以為取得大學畢業證書就等於完成一個使命，從此以後就不再碰書本，也不再學習，無論在知識上及修養上，從此裹足不前。「讀書」只是在體制下的一個遊戲，但「學習」是永遠的，過分強調「讀書」而忽略「學習」，這是本末倒置。

既然「讀書」只是在學校系統裡的行為，那麼學校又是怎樣的一回事？在人類進入農業社會前，我們過著狩獵採集者（hunter-gatherer）的生活，無時無刻不運用智力及創造力解決生存壓力帶來的問題。那時兒童學習的都是最「貼地」的知識，全是和生活息息相關的，例如各種動物的習性、哪種植物有毒、製造工具的技巧、辨別方向和尋找水源等。這些知識及技巧的傳授高度生活化，亦充滿遊戲成分，兒童不會抗拒學習，一來有實際需要學習這些生存技能和知識，二來真的好玩。

然而，大約在公元前一萬年，當人類漸漸掌握了耕種的奧秘及厭倦了那種不穩定的狩獵採集者生活，便開始劃地而建立農地，進入了農業社會（史稱「農業革命」）。經過數千年的演化，及至工業革命後科技的進步，更令農業社會轉變成工業社會。農業和工業社會的出現使人類開始累積財富。財富的多少使人類出

現階級之分，有資源的人開始利用沒有資源的人的力量幫助自己獲取更多的資源。這時候，兒童學習的便不再如祖先一樣純粹牽涉生存的技能，而可能是一些維護資源較多之人所建立的社會系統的知識。

隨著工業技術進步而提倡的大量生產技術，也慢慢進入更抽象的領域——既然我們能有效快速地大量生產便宜的物品，不如將這個概念放進培育適合這個世界運作的人才上吧？就這樣，學校系統的概念越來越成熟，大量的兒童因為法律硬性規定而被送進學校裡讀書。學校系統便像一個「培養及大量生產人才的工廠」，每個學生都以標準化的方式吸收一模一樣的知識與技術。讀書讀的是什麼？是大人們決定的，是大人覺得對世界的運作有利的——「我們大人都是為了小孩著想才這樣做的。」在學習的內容上，兒童從來沒有參與討論的權利，他們是完全被動的。這種大量生產具備基本知識、維護世界運作的人才的學校系統，在工業革命之後影響力更為巨大。一堆又一堆的兒童被送進學校培養成有基本知識操作機器的員工，為了資源較多之人所創造的世界機器的暢順運作而誕生。所以，現在學生學的東西未必是他們感興趣及最「貼地」的。這大大不同於學校系統還未盛行的學習模式，那時的人更多是自學，學的都是自己感興趣的東西。筆者想，當我們在學習有興趣的知識，必定能學得更好更快吧。但是，不是每位學生都能在學校系統中學到他們感興趣的知識。

當然，這種學校系統的誕生是為了培訓工廠工人的論調未免太過誇張。但是，現代學校系統教導的知識的確沒有我們作為狩

獵採集者時的來得與自己有關（self-involved）。現代學生在學校學的很多學術知識都不知道應該怎樣應用於實際生活中，因為在學校裡絕大部分學生做的只有「讀書」，「讀書」是為了成績為了分數，而不是「學習」；沒有「學習」，又怎能將知識應用於自身之上，應用於社會之中？

用「學習」
為自己找到目標

　　「求學不是求分數」這冠冕堂皇的口號在大概十多年前的香港電視廣告上經常聽到，而來到今天，筆者對它有更深刻的體會。這句話最大的問題在於那個「學」字的定義，它是指「讀書」那種學？還是「學習」那種學？如果這句話應用在學校系統之中的「讀書」，我相信它並不成立，而只成立於廣闊的人生戰場上的「學習」。

　　我們都要接受一個現實，在學校系統內「讀書」其實是一個遊戲，很大程度上以分數作為成敗指標。評價「讀書」遊戲玩得好不好，就看看學生的成績單吧。這個學生從小讀書成績好，較容易升上好的中學和大學；到了大學取得高 GPA 的學生們也更容易報讀高等學位如碩士、博士，或更容易被看重學術成績的公司選中。他們從小得到家長、老師的喜愛，也受到同學的尊敬。他們是學校系統之中的明星，掌握學校的資源，較大機會被老師挑選參加各種各類的知識型比賽及交流活動，在學校系統中「萬千寵愛在一身」的學霸們自然信心滿滿，對玩「讀書」這個遊戲充滿成功感。

　　相反，班上那些對「讀書」這個遊戲沒有太大興趣，或者因為個人或環境問題不知道怎樣玩的學生們，成為了被忽略的一

群。他們不被老師關注，很少被選中參加各類比賽及交流活動。即使他們有辯論的天分及能力，但辯論隊的位置早就預留給學霸了。這一群不懂玩「讀書」遊戲的學生從小就吸引不了學校系統的鎂光燈，但是，他們的能力真的比學霸們差嗎？不。我們只能夠說，因為種種原因（例如家庭資源等），他們並沒有像學霸們那樣擅長掌握玩「讀書」遊戲的技巧。但人類就是那麼有趣，制度下的既得利益者（對的，成績優異的學生就是在這個學校系統制度下的既得利益者）總會將成功歸咎於個人的能力或努力，「我有這個成績因為我真的很用功」，卻忽略了很多助你成功的環境因素（例如良好有愛的家庭環境、無憂的經濟情況、和諧的人事關係等），以及一些不確定因素（例如你突然經歷一件人生大事後開竅了，從此心態一百八十度改變，充滿幹勁去讀書）。這種心理上的自利性偏差（self-serving bias）值得每一位成功者反思，除了自身努力以外，環境因素對一個人的成功或失敗扮演著非常重要的角色。

在學校系統中玩「讀書」遊戲時，分數的確能帶給你發展上的優勢，如果你是這個遊戲的箇中高手，甚至真的能決定了你的未來。例如你利用超高分數考入醫學院習醫，醫生這種專業人士身份對你的經濟和社會地位都帶來了一定保障。但是，大家都知道成為醫生的人少之又少，那意味著絕大部分人都不會那麼依靠「讀書」遊戲中的分數去塑造自己的人生。隨著大學學位增加，即使你在中小學的「讀書」遊戲玩得很差，只要你肯花時間和金錢，要取得一個學位並不是那麼困難的事，差別只在於你花費的時間和大學的名氣而已。

事實上，大部分的大學課程都沒有具備專業資格，「大學讀什麼將來做什麼」這句話對大部分的大學生幾乎是不適用的。將來如何發展，更重要的是自己的目標、動力、熱情、解難方法及一些不可控的外在因素等。而這些定義你的人生怎樣過、往哪裡走的東西，在學校系統的「讀書」遊戲中是不被需要的，所以你在「讀書」遊戲中也不會讓你的大腦去思考它們。「讀書」遊戲中我們關注的只是分數，不是你的人生目標，不是你對人生目標追求的熱情、動力等。就是這樣，當大部分人玩完這個「讀書」遊戲後，大學畢業了，發現他們在「讀書」遊戲中學習到的東西，在真實廣闊的社會進行的人生發展遊戲中派不上用場，這兩個遊戲系統絲毫沒有關聯性。進入人生發展遊戲後，新鮮人開始迷惘了，他們不知道可以做什麼，不知道自己想做什麼，也不知道應該做什麼，因為一切一切都和學校系統中的分數完全沒關係。他們被訓練如何玩「讀書」遊戲，真正踏入社會後卻發現是如此「離地」。

分數只是學校系統中的成就指標，而人生的成就指標是可以有無限種類的。而達成人生的成就指標，靠的絕對是學習，而不止是讀書。想尋找到夢想，你必先懂得如何思考、如何學習。學習不是純粹的讀書，學習是永無止境的。學習必須應用於生命之中，不然就跟在學校讀書沒分別。學習必須應用到自身之上（self-involvement），令知識和自己產生關聯，變得對自己有意義，這樣你才不會忘記。我們的大腦很懂得節省能源，凡是不重要的事都會忘掉，只會花能量把重要的事情牢牢記住，而重要的事，一定都是對自己有意義的。所以，學習的重點在於把知識變

得對自己有意義，而這個過程是主動的，也就是説，任何一則看上去和你沒有關連的資訊，我們都能透過轉變思維模式，令它變得對你有意義。

學習的模式有很多種，恆常閱讀、「偷師」別人的言行舉止思想價值、時常反思自省等都是學習。但要注意的是，無論你學習什麼，都必要消化提煉，然後應用於生命之中，改善你的人生，將自己變成更好的人。將知識連結於生活並改善自己才是學習，如果你只管不斷看書，卻把知識留在書本裡而將它們完全隔絕於生活之外，那麼你進行的仍然是那個「讀書」遊戲。我們需要把知識輸出，有輸出（outputs）、有改變才是學習！

其實書本的知識有沒有用是取決於你有否思考，有否把它們應用於生命之中。只會「讀書」的人讀到生物、化學、物理的知識不會有用，因為他們只懂如何把它們變成分數，僅此而已。但真正在「學習」的人不一樣，他們將這些知識帶到生活中，他們利用這些知識對自然界、對世界多了一些不同的看法（insights），這些看法刺激著他們不斷思考，甚至找出了人生目標。例如一個人讀了地球科學之後不斷思考，最終把成為一個地震科學家作為終生夢想，學習讓他改變了生命。你的生命被知識改變了，你的生命因知識而變得更好了。著名已故傳奇籃球員 Kobe Bryant 的「黑曼巴精神」（mamba mentality）為世人傳頌，而他的學習能力也是一絕。他透過看一本大白鯊如何覓食的書悟出了在籃球場上如何打得更有侵略性的方法。大白鯊和籃球，看起來風馬牛不相及，但是真正在學習的人總能將知識運用於生命之中，將自己變得更

優秀。

　　如果你能把學習的真諦掌握好，你必勤於思考，樂於吸收新知識、新思想，這對於開闢夢想之路十分重要。

為什麼沒有夢想？
家長們也要反思一下

學校教我們的往往是一個拿分數的遊戲，但沒有教我們對人生十分重要的兩件事——找到自己人生的使命和理財觀念。如上述提及，學校系統是令一部分人找不到人生目標的原因。但我們絕不能把責任全推給學校，家長們也有責任引導孩子們從小思考人生方向。有關如何教育孩子，首先要從教養模式（parenting style）說起。

四種教養模式

美國心理學家 Diana Baumrind 在一九七〇年代提出理論，將家長的教養模式以不同因素所佔比例多寡分成四大類，該些因素分別是「溫暖或疼愛」（warmth or nurturance）、「規矩及控制」（rules and control）、「期望及要求」（maturity demands）及「溝通」（communication）。四種教養模式和小孩的成長發展息息相關。

獨裁型教養模式（authoritarian parenting）是一種有高度「規矩及控制」和「期望及要求」，但在「溫暖或疼愛」及「溝通」顯得十分薄弱的教養模式。在懲罰孩子的時候，這類家長很少會去解釋原因，也不會關心孩子的需求。他們就像軍隊或紀律部隊

中的軍官一樣，永遠都是高高在上。這和傳統中國家庭的父親角色十分相似，他們在子女身上加諸十分多的規矩和期望，卻很少跟孩子聊天，更遑論向子女表達愛意及「疼愛」了。心理學研究顯示，在這種教養模式下成長的小孩，一般來說對自我觀感較為負面，有較多的衝動行為，學業表現亦會較差。

溺愛型教養模式（permissive parenting）是一種有高度「溫暖及疼愛」，但在「規矩及控制」、「期望及要求」及「溝通」方面都十分薄弱。當父母只以溺愛的態度對待子女時，子女被容許在過大的自由度下成長，不會受到太多的規限。在溺愛型教養下成長的小孩，一般比較不成熟、脾氣較差、性格比較依賴，也不太願意承擔責任。

第三種是忽略型的教養模式（neglectful parenting），無論是「溫暖或疼愛」、「規矩及控制」、「期望及要求」和「溝通」都欠奉。這種父母對著子女不理不睬，對養育子女的參加度十分低，也對子女十分不瞭解，對他們的需求也十分不敏感。這種教養模式的形成原因可能是因為貧困，導致父母需要終日工作，忽略照顧子女；也有可能是父母在身體上或心智上都未能支持他們成為稱職的父母。在忽略型教養模式下成長的小孩，在社交上會出現很大的困難，也有可能出現反社會行為，競爭力較低，也沒有太大的成就導向行為。

在以上三種教養模式下成長的小孩子，一般自我要求不高，也缺乏自我思考和自主性，所以在思考人生道路這個範疇上會顯得略為遜色。那麼，什麼是最佳的育兒方式呢？

　　權威可靠型教養模式（authoritative）是最佳的養育子女的方式。在這種教養模式中，無論「溫暖或疼愛」、「規矩及控制」、「期望及要求」或「溝通」都應有盡有，也就是說，父母很愛孩子，會給孩子很多溫暖及快樂的時光，也會常常跟孩子深入溝通，瞭解他們在實際上或情感上有什麼需要。這種愛並不是只有溺愛，這種家長對孩子們的成長會有要求有期望，當孩子做出不好的行為時也會果斷地控制，令孩子的成長健康有序。在這種教養模式下成長的小孩，自我觀感正面，他們表現成熟、獨立、自信，較會展現出利他行為幫助別人，思想亦較為成就導向。這種性格的學生在學校裡通常表現較佳，在思考人生目標這一方面也較為出色。

　　以上的說法當然不能套用到每一個人身上，但這些理論及研究證據都展現出教養模式的重要性，並提示家長在希望孩子有夢想的同時，也要審視一下自己的教養模式。一個人有否夢想，當中牽涉到不同因素，家長有責任提供一個最好的環境讓子女成長，如何教育他們成長是重要的一環。

「贏在起跑線」的迷思？超越及自卑情結的論述

　　除了教養模式外，家長們也要常常留意現時社會上或網絡上一些很流行的概念。現代人主要都是透過社交媒體或網上論壇等途徑接收很多流行文化訊息，YouTube 或連登討論區這些平台更是很多流行說法的發源地。但要留意的是，這些平台充斥著大量資訊，未必每一個人都有能力分辨真偽和重要性，這些概念

或會影響孩子的思想，影響他們的自信，以及懷疑自己能否超越自我。其中一個最多人討論，甚至奉為真理的流行說法，就是「贏在起跑線」的概念，意思即你的出身會大大決定你的成就。在心理學或社會學上，我們會將「出身」定義成社會經濟地位（socioeconomic status, SES）。以下將會簡單地運用心理學及神經科學的研究結論探討一下「贏在起跑線」這思維。

直覺上，大家都會認為出身好的人，家裡應該就是比較有錢的，但家庭收入並不是決定社經地位的唯一因素。雖然社會科學上對社會經濟地位的定義存在很大爭論，但一般來說社經地位除了家庭收入之外，父母的教育水平（parental education level, PEL）也是一個重要的因素。另外，父母職業的名聲（occupation reputation）也對社經地位高低有重要的影響力。所以一個突然致富的暴發戶雖然很富裕，但如果父母均無業也沒有什麼學識的話，其家庭的社經地位也不會是最一流的那種。研究顯示父母的教育水平和孩子各方面的發展有著相關性，至於在社會經濟地位的定義上，家庭收入較重要，還是父母的學識或職業名聲較重要，則難以比較。總體而言，一個人的出身是由家庭收入、父母教育水平及職業聲望共同影響的。

那究竟是否「贏在起跑線」呢？從研究上一致顯示來自社經地位高的家庭的兒童無論在大腦發展、心理發展上都較有優勢，所以「贏在起跑線」某程度上是對的。社經地位在心理學研究已有差不多八十年歷史，其中在社經地位與小朋友認知能力發展（cognitive development）和學業表現（academic performance）的關係上也是頗為一致的。社經地位和認知能力的正關係（positive correlation）最早從嬰兒期（infancy）已經能夠表現出來。也就是說，來自越高社經地位家庭的兒童，他們的認知能力發展是越有優勢的。而家庭貧窮和低教育水平父母，與子女學校成績表現較差及 IQ 較低的關係已差不多是公認的事實，某些研究更指出高社經地位和低社經地位家庭的小孩子 IQ 可以相差二十五分這麼大。

　　除此之外，近十多年的腦神經科學研究亦顯示出來自低社經地位家庭的小孩子，其腦部結構和高社經地位家庭的小孩子有些分別。其中例子是低社經地位家庭的小孩子的海馬體（hippocampus）比高社經地位的小孩子為小。海馬體較小有什麼深遠影響呢？海馬體對形成記憶十分重要，較小的海馬體暗示著低社經地位小孩子記憶力較差。記憶力作為分析思維能力的重要一環，它對於在現代學校系統的學習是極為重要的。記憶力差會直接影響中小學讀書成績，成績不好，自信心低落，來自老師的負面期望（這孩子能力不足）更會令兒童掉進無盡的自我預言實現的漩渦。

　　自信心低落對一個人的成就有著決定性的影響。低社經地位小孩子的海馬體較小的其中一個可能原因是他們從小就受著較大的生活壓力，尤其是經濟壓力。腦部長期受壓會影響海馬體的發展。另一方面，低社經地位父母一般學歷程度較低，語言表達能力較遜色，以致孩子的語言發展也受影響。語言是思維的媒介，語言能力欠佳代表著思維上也是比較迷糊，那麼自然會在學業方

面較為吃虧。在社經地位和兒童大腦發展的領域上，大家可以去搜尋一下美國學者 Martha Farah，她做了很多相關的研究。

社經地位的差別影響著人一生的發展，不只是剛才所説的嬰兒及孩童認知能力發展，即使在長大成人的大專學生身上，也可以看到「贏在起跑線」的威力。你是家庭中第一個大學生嗎？不論是在任何地方，家庭中能出到一個大學生是令所有家庭成員都十分驕傲的事。在高等教育研究中（higher education research），我們將父母都沒有大學學歷的大學生子女稱為「第一代大學生」（first-generation college student），至於非第一代大學生就是説父母最少其中一方有大學學歷。「第一代大學生」相比非第一代大學生，無論在大學前、大學中和大學後都呈現明顯的劣勢。

在大學前期，「第一代大學生」在學業上競爭力較弱，在心理層面上，「自我肯定」（self-esteem）程度較低，「自我效能」（self-efficacy）也可能較差。在報讀大學時，他們較少能進入知名大學，也較傾向選擇距離住所較近的大學，這説明他們不太願意挑戰自己，較難走出安全區。除此之外，「第一代大學生」對學業成績自信心較低，社交能力也較差。「第一代大學生」在大學期間兼職時數一般較多，這和成績欠理想是有很強的相關性。因為家庭經濟資源較弱，他們被迫多做兼職，令學習的時間減少。他們的批判思考較弱，覺得生活不在自己的掌握之中。有趣的是，他們傾向選擇進行一些認知能力挑戰低的活動，例如選修科目時，可能以較易取得好成績為前提，而不是期望自己在思維上有沒有進步。大學畢業後，「第一代大學生」同樣呈現劣勢，例如他

們得到較少的工作機會。雖然報讀普通非專業碩士學位或 MBA 的成功率跟非第一代大學生差不多，但是「第一代大學生」在報讀博士課程和其他專業學位時的成功率則明顯較低。

那麼，既然「贏在起跑線」某程度上是真的，那麼我們要認命嗎？我沒有含著金鑰匙出生，就注定不能成功了嗎？

不。絕對不是的。不要用你的出身定義你的所有。

上述內容好像都在跟你們說「贏在起跑線」是真的。對，心理學研究告訴我們，它某程度上是正確的。高社經地位的小孩子資源充裕（無論是經濟資源、人脈資源等），的確較容易獲得成功。雖然如此，但不代表來自低社經地位家庭、「第一代大學生」的你一定是劣勢的一分子，「認命」只會創造一個無趣的人生。你的出身只定義了一部分的你，一部分很早期的你，人生還有很大的一部分掌握在你手上，看你怎樣去爭取。「贏在起跑線」沒錯聽起來就是很不公平，但是在自然界中，很多事本來就是不公平，但不代表你要認命。筆者始終相信每一個人都可以非常成功！重點是你到底相不相信自己能夠成功！出身貧寒但最後發光發熱的例子從古到今，比比皆是，「贏在起跑線」只是代表著你有先天的優勢，是否能漂亮地越過終點線，過程是由你對目標的瘋狂追求、努力、思考、策略、執行目標等打拼回來的。

如果你有看過關於阿德勒心理學的暢銷書《被討厭的勇氣》，你應該知道阿德勒心理學中的「超越」和「自悲情結」的理論意思。就如上述，出身不好的確會令你失去很多先天優勢，但每個

人都可以選擇怎樣面對這種先天的劣勢。你可以選擇「超越」，或者陷入「自悲情結」中。若你選擇「超越」，你可憑各種方法去扭轉你的劣勢，例如努力讀書、考取專業資格、創業、交朋結友擴大人脈網絡等，勇敢跳出舒適圈去改變不同的環境因素；你也可以選擇自怨自艾，沉醉於「自悲情結」中，老是把「贏在起跑線」這句話掛在口邊，不作努力，説著什麼「努力也沒有用」的話，而不知道這些都只是藉口，安慰著沒有勇氣作出改變的自己。

我活著為了什麼？
生命有什麼意義？

人生的意義

　　「活著為了什麼？生命有什麼意義？」人生的意義這個課題應該是沒有定案的，每個人都有獨立的思想。基於每個人有不同的性格和人生經歷，每個人對人生的意義都有不一樣的定義。有些人的人生意義可能是比較物質層面的，例如要賺很多錢，擁有很多物質享受，這些東西就是他得到快樂和幸福感的來源。另一些人則沒有那麼多的物慾，他們可能想貢獻社會，發揮更大的社會影響力，因為能影響他人的滿足感令他們感到快樂和幸福。什麼是快樂和幸福感的心理學知識在這裡就不作論述了，詳情可以閱讀本平台的前作《改變人生的正向心理學——尋找快樂，追求夢想》。在這篇文章中，筆者反而想介紹一下在現今實證心理學中，人生的意義究竟是怎樣被定義的。至於在哲學或宗教中的論述，請恕筆者不班門弄斧了。

　　說起心理學中對人生意義定義的課題，最廣為人知的應該是美國心理學家 Abraham Maslow 提出的需求模型（hierarchy of human needs）。在這個著名理論中，Maslow 認為人生的需求是逐步逐步拾級而上的，從最開始的生理需求（physiological needs，包括食物、食水等）、安全需求（safety needs，如人身安全、穩定工作等），到中段的情感需求（love/belonging needs，如家庭、友情等）、自我價值需求（esteem needs，包

括建立名望、受人尊敬等），再到最高級的自我實現需求（self-actualization needs），也就是將自己的所有潛能完全發揮出來，成為自己能達至的最佳版本。在 Maslow 這個理論中，人生意義是一個進程，如果在不能裹腹的情況下空談理想，是毫無意義的。這個需求模型看起來十分有道理，非常符合我們對生命的理解，但和其他同時代的（上世紀中段）人本主義心理學理論一樣，Maslow 的需求模型理論始終流於意識形態及哲學層面，這和現代正向心理學奉行的實證科學取向是十分不一樣的。

在現今講求實證的正向心理學中，近十多年心理學學者們提出了一個關於人生意義（meaning in life, MIL）的三方模型（tripartite model）。三方模型指的是用三個部分去定義某一個心理結構（psychological construct），例如人生的意義就是一個心理結構。人生的意義，在現代實證心理學中的其中一個定義為：

「一個人活在這個世上，他是能理解他的生命，這個理解包括著人生的過去、現在及未來的部分；他的生命是受著一個有價值的目標引導的；他的生命在這世上是重要的。」

這個定義也是上述的人生意義三方模型的總括。根據研究數據，一些心理學家認為人生意義包括三個主要副心理結構（sub-constructs），分別是「理解」（comprehension）、「目的」（purpose）和「重要性」（mattering/significance）。「理解」指的是一個人對他的生命的理解和一種對生命的一致性觀感（a sense of coherence）。能夠理解生命的人，他會覺得發生在他生命的所有事情都是清晰的，所有事情都是有連貫並有脈絡

的;不能理解生命的人,他會對發生在他生命的事情產生許多問號並不明所以,對他來說,生命並沒有連貫性,而這種斷斷續續的生命觀感令他對生命的掌握十分薄弱。

「目的」則是指一個人覺得自己的生命是否有方向,是否能夠有各種有價值的人生目標帶領自己前行。有「目的」的人生,會讓一個人知道自己為什麼而努力,而他也對自己的人生目標充滿承諾;沒有「目的」的人欠缺人生方向感,沒有一個渴望走到的目的地,未來對於這些人來說沒有什麼價值。

「重要性」則指一個人覺得自己的存在是重要及對世界有價值的,沒有感受到「重要性」的人會覺得自己是否存在於這個世界並不存在很大的差異。

來到這裡,大家對於這個生命意義三方模型或許還存有許多問號,在以下的段落中,筆者將會更詳細地介紹「對生命的理解」、「有目標的生命」及「你是重要的」這三個對生命意義觀感十分重要的心理結構的心理學論述。

對生命的理解

理解自己的生命對你是否覺得人生有意義是十分重要的。不能理解自己生命的人其實暗示著他很少反思自己的生命進程,也很少反思自己的過去、理解自己的現在、計劃自己的未來。他的思想和他的生命就像平行線一樣沒有交集。若然一個人的思考從來沒有和自己的生命接軌,那生命意義這樣艱深的思想課題更是

沒有可能解答得到。

根據自我驗證理論（self-verification theory），人類處於世界中，每時每刻都想理解周遭的環境。只有理解環境，以及找出問題的答案，我們才能「舒服」。不是嗎？有時候單單是執筆忘字，或是突然間忘記了一個電影明星的名字，也會讓我們感到焦躁。人類和自然環境共生，我們的大腦因應著自然環境而作出調節去理解自然法則。理解周遭的事是人類的本能好奇心，也因為這顆好奇心，我們有許多偉大的科技成就，徹底改變著地球和人類生活。

面對著自己的生命也是同樣道理，我們的生命看起來是多麼複雜，似乎在生命中出現的人和發生的事都環環相扣。你的初戀女朋友可能是你大學選擇讀某個專業的原因，而這個大學主修專業定義了你往後數十年的職涯發展；十年前一則你隨機閱讀關於比特幣的新聞令你隨便花了幾百元購買幾百個比特幣，而這個看似隨便的動作卻造就你今天變成了一個富翁。「無心插柳柳成蔭」，生命事件環環相扣，不對生命經常思考及反思的人又怎能理順這些脈絡？對生命脈絡沒有好奇心，不會花時間及心思去理順的人，又怎能找到生命的意義呢？

對生命的理解能令自己產生對自我生命的一致性（consistency）。這種感知上的一致性猶如令生命變成一個很容易讀懂的故事，使你理解生命中的脈絡；當你能理解生命時，你的生命會變得實實在在，而不會風雨飄搖。這種堅實的基礎才能孕育出生命意義。

有目標的生命

　　有目標的生命就像一個設下了終點站的自動導航系統，儘管在航行時道路或許蜿蜒曲折，但是由於終點站十分明確，所有道路上的障礙物都將會被一一繞過或除掉，最終去到目的地。目標就像燈塔，目標就像指南針，它引導著每個人的生命，讓每個生命都有歸屬。

　　一個人的生命目標也代表了他的自我身份（self-identity），是怎樣的人就會有怎樣的目標。例如你的物慾比較高，你的人生目標可能就會和金錢掛鉤；如果你是較為著重世界及別人福祉，你的人生目標可能就偏向利他（altruistic）主義。你的目標展示出你自身的中心價值觀（core values）。所以反過來說，沒有目標的人暗示著其實他並不瞭解自己，也不知道自己最著重的人生面向到底是什麼？為什麼會這樣？這和你不能理解生命的原因一樣，你沒有用心、沒有花時間去反思和思考你的人生。

　　目標可分為抽象目標（abstract goal）和具體目標（concrete goal）。一個抽象的目標可引發出一連串具體目標，指引著你的生活軌跡。抽象目標其實就是我們常常說的「夢想」或者一個很大、看起來遙不可及的目標。夢想是對你個人來說偉大的，也需要花很多年去追逐的。夢想是一個生命願景。正如每間公司都有願景及任務陳述（vision and mission statements）一樣，以下是幾個例子。

蘋果公司二○二一年的願景陳述（vision statement）：

We believe that we are on the face of the earth to make great products and that's not changing.

我們要成為創造偉大產品的先行者，而這將不改變。

微軟公司的願景陳述：

To help people and businesses throughout the world realize their full potential.

我們要幫助全世界的人及企業去實現他們的所有潛能。

特斯拉（Tesla）公司的願景陳述：

To create the most compelling car company of the 21st century by driving the world's transition to electric vehicles.

我們要成為二十一世紀最卓越的汽車公司去建立一個只有電動車的世界。

這些公司的願景陳述就是他們為什麼會出現在世界上的原因，也就是這些公司的夢想。沒有這些夢想，這間公司的營運會失焦，也不能聚集所有員工的努力向著同一個方向前進。這個夢想引導著公司發展的方向。同樣道理，每個人也像營運一間公司一樣去營運自己，每個人也要有自己的願景陳述，有自己的夢想。

抽象目標之所以為抽象是因為它只幫我們創造出一個景象，要如何實行具體的計劃去達成這個抽象的目標，就要靠相對應的具體目標了。簡單來說，抽象目標就是一個人的夢想或者一個人想要達到的最好終極形態。以筆者為例，抽象目標是成為一個舉

世知名、影響力巨大的心理科學家及教育家，鼓勵別人追尋人生目標。而具體目標就是你為了達成夢想的具體行動是什麼。每年每月每週每天你要做什麼，才能把自己和夢想之間的距離逐步拉近。由於每一天都知道自己該做什麼，所以你的生命充滿方向，忙碌卻又實實在在。有目標的人生是色彩絢爛的，因為每一天你都會為了那個目標去打拼、去學習，這是一種對生命的投入感（life engagement）。對生命越投入的人，他的精神健康及幸福感都能提高。

你是重要的

首先請你跟自己說三遍「我是重要的，我是珍貴的」。有太多太多的人輕視自己的價值，覺得自己可有可無。這樣的生命肯定不具意義感。

一個人覺得存在於這個世界上是否重要實在屬於哲學層面的討論。如果我們將視角轉至無限大，每一個人的生命軌跡在這個宇宙中實屬剎那之間，感覺上每一個人就像宇宙的過客，就像一粒宇宙中的星塵，無論我們做什麼，對世界、對宇宙來說都顯得微不足道，那我們還可以說自己的生命對世界來說是重要的嗎？

人類從大約公元前一萬年開始展開「農業革命」，從狩獵採集者搖身一變劃地耕作，安穩地繁衍起來。一萬年來，人類因為天生異於其他動物的強烈好奇心，衝破一個又一個的技術難關，創造一個又一個輝煌時刻。從古代的印刷術，到近代的飛機、互聯

網技術，再到現今的人工智能科技，人類因為有夢想，徹底改變了地球。而這些改變也將切切實實地改變我們的下一代的生活模式，這樣我們還能說自己對世界是不重要的嗎？你覺得自己的生命是否對世界重要，取決於你如何貢獻予社會、貢獻予地球。覺得自己的生命是重要的人，心態往往十分強韌，尤其當他處於困難的時候。讓自己變得重要，方法就是用自己的知識和能力去發揮社會影響力，改變他人的生命軌跡，而這個又和你的目標息息相關。

　　你活著為了什麼？如何找到你的人生意義？相信各位讀者看完這個人生意義三方模型都會或多或少有一點啟發。根據這個模型找到生命的意義，基於你是否能理解生命的進程，你的生命是否有目標，以及你是否覺得自己是重要的，而這三個因素是互相有關連的。不能理解生命的人，沒有對生命作出足夠的思考，所以連自己是誰、自己需要什麼、自己的核心價值是什麼都不清楚，這種狀態令一個人難以找到目標，而沒目標的人生總是渾渾噩噩，那當然會覺得自己不重要和可有可無。

　　我們可以把這些知識應用於生命之中，時常提醒自己，令自己尋找人生意義的意識提高。例如我們經常反思自己的生命片段，為各個看似沒有聯繫的生命段落尋找一個連接點，這樣就可以理順我們整個生命故事，生命從此對你來說不再那麼難以理解。好好理解生命的本質，你便能更容易找出生命的意義。從以上三方模型中，我們也可以清楚地看到，人生目標（purpose）掌控了其中一部分的人生意義。有目標的人生較有意義，筆者相

信這句話沒有什麼值得反駁之處。這是本書第一部分的中心，無論是什麼都好，我們都要有一個目標，我們都要有一個人生使命感，沒有的話，我們要把它找出來。

 延伸閱讀

George, L. S., & Park, C. L. (2016). Meaning in life as comprehension, purpose, and mattering: Toward integration and new research questions. *Review of General Psychology, 20*(3), 205-220.

我喜歡做的事？我的目標？

你可以告訴我嗎？你可以教我找它出來嗎？

活得真累

生活在城市，尤其是香港這種國際金融大都會，人靜下來思考的時間很少，也就是所謂的「me time」不多，很多時候都會迷失在急速流轉的生活步伐之中。你又有多久沒有想過「你到底是誰？」、「你想變成一個怎樣的人？」、「指示著你生命前進的方向是什麼？」這樣的問題呢？

美國心理學家 Erik Erikson 認為人類發展至青少年及成年人的過程中，其中一個最重要的發展任務就是知道自己的身份（identity），知道自己是誰、知道自己喜歡什麼及不喜歡什麼、知道自己在生命中的目標等。不能發展出身份認知的人在往後各個發展階段都會產生不良影響，例如在愛情及工作上，因為他們總是渾渾噩噩，所以在情感關係及工作上都不會投入感情及專注，往往導致失敗收場。我們叫這種情況作身份角色的混淆（role confusion）或者離散身份（或稱迷失型身份認同，diffused identity）——人格身份像擴散開去般不能聚焦。離散身份的人會有以下特徵：在各種方面難以作出承諾、沒有作出有意義的決定的自信心、自尊感低、容易受別人影響、做事喜歡拖到最後一刻才做、情緒常常因自己不知道該做什麼而有困擾等。

基於種種原因，很多人並不清楚自己喜歡做的事是什麼、自己的目標是什麼，終日都是過著沒有靈魂的生活，這樣的生活沒有重心，也沒有色彩。沒有重心的生活讓人過得不踏實，過得十分空虛。人生一旦空虛，更令自己不滿足、不幸福。

「我也很想知道自己想做的是什麼，但我不知道，你可以告訴我什麼是我喜歡的嗎？你可以教我找它出來嗎？」

　　很可惜的是，這個問題永遠都只有你能幫助自己。別人能說一千種建議去分析你的生活，提議你去做「你應該去做」的事。但這種方式不一定能擊中你心底最深處的慾望或解開你內心的心結，推動你去追求自己喜歡做的事。舉個例子，很多人小時候都不喜歡讀書，無論是家長、老師和前輩們怎樣跟他們說讀書有多麼重要，這些孩子即使聽得懂道理，但也不能推動自己去努力學習；別人總是說儲蓄的重要性，而你也十分清楚這個道理，但你總是每個月都把錢花光光，甚至入不敷支。這一切，都落得「道理我都知，但我就是做不到」的結果。

　　「道理我都知，但我就是做不到。」這句話有兩種意思。一、這個道理對你的價值觀系統來說不太重要，讀書對你不太重要，儲蓄也不是太重要。這些概念對你來說並沒有像別人眼中一樣重要。二、這句話是你不肯去改變的避風港，它給你一個藉口，說自己能力上根本做不到，這樣你將舒舒服服去繼續做本來的自己。

　　如果是第一個原因的話，其實問題還不算大，什麼事對什麼人重要本來就是沒有定案的，任何世俗覺得重要的事，對你來說是否同樣重要，決定權在每個人手上。社會都覺得讀書很重要，但是成績好並不能保證有個美好的未來，關鍵在於一個人是否有明確的目標。一個人如果從小就立志做一個出色的廚師，做下一個 Gordon Ramsay 的話，讀書成績是否優秀似乎不太重要。社會都說要儲蓄積穀防饑，但把錢花了或許可以買到快樂，讓你的心情變得舒暢，這樣子也未必是一件壞事。但如果你做不到是因為第二個原因的話，問題就大了，因為你明知道改變是好的、改變是

十分重要的，但你就是不敢努力去改變。這種內心的掙扎使你明知道要去做那件事卻不斷畏縮，這會讓你倍感壓力及自責。

　　當我們知道改變是必需的、改變會令自己變得更好時，我們必須先明白一件事：態度未必能改變行為。也就是說，你知道改變是必需的，也明白改變可以令你變得更好，但你就是沒有真正行動去把這態度實踐出來。心理學研究令我們知道，態度和行動的關係其實很薄弱，也受著很多第三方因素影響。就像我們總會在新年伊始之際，許下很多新年目標，但一段時間下來，卻發現自己的行動力是那麼的低下，往往都把目標流於形式化，流於口號卻沒有行動。態度未必能預測行動，但很有趣的是，行動有時候卻能把態度強化，這在心理學上叫自我感知理論（self-perception theory）。人會透過解釋自己的行為去瞭解自己的態度，尤其當態度不是那麼確定的時候。例如我們會覺得自己很愛自己的伴侶是因為在行動上我們對另一半非常非常的好；我們會因為自己多做了某樣東西（例如寫電腦程式）而覺得自己是真心喜歡那樣東西（電腦程式）的。這是不是自欺欺人我不知道，但是本來就不太理解自己的人類為了更加理解自己的態度，他們惟有從理解外在行為的角度入手。著名運動品牌 Nike 的口號「Just Do It」的精神和自我感知理論其實是一致的。別管那麼多，別想那麼深入，就只管去做！

　　做了就習慣了，做了就喜歡了，做了的話問題就會一個一個地減少了。

　　所以想找到喜歡的事？別只在抱怨了，去行動吧！沒想好

嗎？先行動吧！沒自信嗎？先行動吧！

　　那要做什麼行動去幫助自己找到那喜歡做的事呢？心理學跟我們說什麼行動都可以做，什麼角色都可以嘗試，這可稱為角色實驗（role experimentation）。在不同的崗位、朋友圈子、與別人交流都是令我們得到啟發的方法之一，令我們更容易找到靈感去發掘人生目標。在體驗不同的人生角色或進行不一樣的活動時，筆者發現有數個方法能更容易幫助各人找到人生目標。第一就是擴大生活圈子，多認識一些來自不同領域的人。正所謂「三人行，必有我師」，和不同類型的人交流時，你會有很多新想法，它們會滋潤你的思想，這些人就像你的思維導師。他們會告訴你成功的路途所必經的挫敗，更重要的是，他們會跟你分享他們追求目標的心態，以及他們如何解決追夢的思想枷鎖。是的，每個人都有思想枷鎖，它可能是因為害怕、沒自信，這些思想枷鎖綁住你的勇氣，令你畏懼追夢，甚至畏懼去思考自己究竟喜歡什麼、自己的人生使命又是什麼。找尋你的人生導師，從他們身上學習如何在內在鞭策自己的方法，令自己一路勇敢向前吧。

　　除了擴大你的生活圈子，第二點就是筆者在社交平台常常跟讀者們所說的廣泛閱讀。廣泛閱讀不同的好書會給你很多啟發。就像擴大社交圈子的道理一樣，當你閱讀時，你就像跟每一位作家的大腦和他們的思想接軌，從他們身上獲得不一樣的思維。這些新的思維會衝擊著你固有的思想，讓你知道原來有那麼多的新知識和想法。很有趣的是，有時候我們就是需要這些新的思想衝擊去幫我們找到靈感。筆者創立 Lo's Psychology 心理學科普平台

的意念也是從閱讀找出來的。最令筆者感動的是，本平台出版的各本書籍也能讓讀者得到同一樣的啟發，當中令筆者印象最深刻的是，有一位讀者看了本平台的某一本著作後覺得要發揮更大的社會影響力，所以決心報讀臨床心理學，結果成功取得學位。閱讀的力量就是如此之大，可能真的是在某一天的某一部作品，令你定下了全新的人生跑道，從此你的人生就有了方向。

以上所說的，是否把它付諸實行的最終決定權在你手上，就好像從小到大你的媽媽都嘮叨著你要讀書存錢一樣。如何能找到自己喜歡做的事，不能假手於人，只有你付出行動，不斷努力去積極尋找，才能有一天恍然大悟知道自己的人生使命是什麼，然後終生向著那個方向進發。不要總是說著不知道，去做吧，做著做著就知道了。做一個月不行，就做兩個月，兩個月還不行，做三個月。

改變自己，
找出人生目標。

我總是不滿意現狀，
我是不是不懂感恩？

第二章
● ● ●

我很想掙脫現在的處境，

但是……

　　我們常常聽到一個說法——知足常樂。的確，知足者是比較快樂的，因為他們專注於自己擁有的東西，同時也不會過分放大自己沒有的東西。但是，適當的「不知足」，本來就是人的一種動物本能。

　　人類從原始猿類，演化成今天的地球霸者，靠的從來就是「不知足」這個特點。對食物的不知足、對知識的不知足、對控制自然的能力的不知足。想瞭解世界萬物運行的好奇心，加上各種各樣的不知足，使人類突破一個又一個的科學及技術關口，發展出我們現在這個世界。

　　現在的你對現狀不滿意，這種不知足是否你心中的噩夢，或成為你進步的動機，要視乎你如何看待它。人類在世界中，其實都是透過自己心中的「稜鏡」去看待這個世界，我們為所有身邊的事下定義，在心理學上有一個名稱去形容這種情況，稱作「意義製造」（meaning making）。透過我們心中的「稜鏡」，我們為所有東西尋找一個意義。這個「稜鏡」是你的性格、價值觀、成長經歷等因素合成的結晶品，我們用這個「稜鏡」去解說所有事情。即使是一件絕對客觀的事物，當被每個人用著這個「稜鏡」去照一照，這件客觀的事物在每個人的大腦中會形成不一樣的觀感及意義。

　　舉個簡單的例子：你和朋友看完同一張某女明星的相片後，你覺得她很漂亮，朋友卻覺得她很醜。同樣道理，你對現狀不滿意，你為它下達的定義又是怎樣的呢？

　　你的「不滿意」是因為你覺得無論你做得多好、多優秀，你

還是覺得不滿意嗎？還是你的「不滿意」是因為你覺得自己能把你的不足之處作為一個原因去推動你成為更好的人？如果你是前者的話，你覺得你有否被完美主義箝制住呢？

完美主義：是你的絆腳石，
或是你的動力來源，全憑你如何去看待

完美主義是什麼？心理學上是如何定義完美主義？它對我們又有什麼影響？在心理學定義上，完美主義者有兩種，分別是「具適應性」的完美主義者（adaptive perfectionist）（下稱「好」的完美主義）和「不具適應性」的完美主義者（maladaptive perfectionist）（下稱「不好」的完美主義）。

「好」的完美主義者具備以下特徵：對自己的工作有高及準確的要求，有非常細緻的生活及工作規律，這些特點對個人成長十分重要，亦是某類型工作所必需具備的條件，如醫生和科研人員。「好」的完美主義者能從困難的工作中得到快樂，將壓力當成正面的挑戰，而不是當成一種負面的威脅，能分析自己的優缺點，從而定出適當策略去解決困難。對工作要求高卻對工作產生的壓力從容不迫，樂觀面對並享受困難的過程。他們也享受從困難中不斷鞭策自己、令自己有所成長的過程。

筆者敬愛的 Kobe Bryant 就是這一類人，他曾說過他享受訓練的過程大於拿到總冠軍。這些「好」的完美主義者更能適應生活的挫敗。雖然他們也是追求卓越的一群，但他們對於自己的評價是中肯及準確的。他們能準確理解自己做得好的地方，並加以鼓舞自己時刻精進；同時，他們也能找出自己的弱點，並想著如

何找辦法把弱項變成強項。這種完美主義推動著自己不跟現實妥協，也推動著自己掃除眼前的障礙，力臻完美。

「不好」的完美主義者則截然不同。他們也對工作質素有很高的標準，但他們追求高標準的原因在於害怕失敗或害怕失望。他們無論如何努力、做出來的工作質素無論別人如何滿意和讚嘆有加，他們都會覺得做得不夠好、不夠多，所以「不好」的完美主義者永遠都不能從努力工作中得到滿足感和快樂。相對「好」的完美主義者那種享受壓力、面對高要求卻享受其中和從容不迫的態度，「不好」的完美主義者對他們的工作十分緊張，抱懷疑態度又常常自責。他們有很多太高又不切實際的要求，卻不懂得根據實際情況變通。當目標不能達成的時候，強烈的自我責備甚至會損害了自我價值感。這些「不好」的完美主義者追求卓越的同時，卻從不懂得欣賞自己做得好的部分，只會將不足的地方無限放大。結果是，追求完美變成一個無底深潭，而這種追求甚至變成一種近乎病態的慾望，無論自己做得多好，都只會看到自己的不足。

和很多東西一樣，對完美的執著是一把雙面刃，它可以帶你上人生頂峰，同時也可以拉你下萬丈深淵。大量的心理學研究也顯示完美主義者的人格特質和一個人的幸福感（well-being）息息相關。如你是一名具適應性的完美主義者，那應和你的幸福感成正向關係（positive correlation），因為在追求完美卓越的過程中，你享受著自己不斷成長、不斷變得強大的過程。但是，如果你是一名不具適應性的完美主義者的話，在追求完美的道路中，你將會不斷擔憂你犯的錯誤，而不斷的擔憂只會進一步令你行動

力下降，最終一事無成，而這種感覺又會令你失去自我價值，進一步影響著你的生活幸福感。

　　對生活現狀的不滿意是一種人類的動物本能，這並不是單純知足與否的問題。重點在於你是否能在這種「覺得總有一些東西缺失」的感覺中試探著自己的內心。你是否逼得自己太緊？你是否有花足夠的心思去欣賞個人長處和所擁有的東西？還是你對「不知足」十分滿意，因為它能把你推至更遠的地方？你那「不知足」的本質是怎樣的？看到這裡，你能否轉換一下思考模式，把那種常常聚焦於自己失敗上的完美主義，變成勇於克服困難為自己「反敗為勝」而興奮的完美主義？

 延伸閱讀

Li, Y., Lan, J., & Ju, C. (2015). Achievement motivation and attributional style as mediators between perfectionism and subjective well-being in Chinese university students. *Personality and Individual Differences, 79*, 146-151.

如果你真的對現狀不滿，為什麼不去改變它？

我有很多目標，但每次想得深入一點後，還是算吧，
因為應該做不到的。

為什麼你總是覺得自己
不能改變？

「你這麼不滿意現在的處境，每天老是在抱怨，抱怨你的工作，抱怨你的生活方式，那你為什麼不換掉你的工作？為什麼不改變你的生活方式？這不就徹底解決掉你的問題嗎？」

「你說就容易。我多大了？還能改變什麼？我就只能認命了。」

這種對話方式，我相信大家一點也不陌生，每次聚會中總會聽到許多朋友在抱怨著生活中的各種方面，他們顯然對生活現狀不滿意，卻無法有足夠的動力去作任何改變。

詳細點分析，這裡分開了兩種類型的人。第一種人抱怨的同時，卻是心甘情願地接受、逃避，甚至調整自己去適應不滿。第二種人雖然也會抱怨，卻時常想去改變，但是左思右想，空有想法，缺乏行動。對於第一種人處理不滿的方式，筆者儘管覺得不是太積極，但總括來說是沒有什麼問題的，因為生活的重心在於舒服，自己覺得舒服就可以了。但是對於第二種人，明明想改變卻又害怕改的，筆者就想分享一些想法給大家。所以，以下的文字或者較適合第二種人閱讀，當然屬於第一種人的你如果看完後覺得有所衝擊，也是筆者樂見之事。

人天性很懶，不喜歡任何要損耗能量的事

　　人性是懶還是勤？筆者試著從神經科學的角度上來描述這個問題。人類在這個世界上已繁衍了數十萬年，並不斷演化，物競天擇的生存壓力之下，如食物來源持續緊張，以致那些能保存能量的行為或思考認知模式都被保留下來。也就是說，我們的 DNA 令我們在生物本能上都不喜歡在非生死關頭下動用太多能量。這種狀態在現代人中也隨處可見，例如我們都不喜歡工作、不喜歡思考、面對困難的事情很容易就會選擇放棄等。

　　我們的大腦是一個高度「能量節儉」（energy conservative）的器官。筆者會用幾個神經科學例子去解釋大腦節省能量的特點。在大腦中，神經細胞的總數大約有一千億個，而在這一千億個細胞之間，會有無限數量的神經連結位置（neural connections）。這些神經連結位置就像電器中的電線一樣，把各個部位的神經細胞連接起來。神經連結就是我們的記憶及所有技巧的神經科學本質。巨量的神經連結令大腦變成一台能處理極為複雜任務的電腦。在神經連結的世界中，也遵從「物競天擇、適者生存」的原則，為了不損耗能量去「供養」很少用到的神經連結，這些平常很少用到的神經連結會慢慢被一些生物機制毀滅掉。只有經常用到的神經連結才會被保留下來，甚至被強化。所以，我們會忘記不重要的事，我們不經常訓練的技巧也會慢慢生疏。這是因為大腦會把資源只分配給重要的東西，為的是節省能量。

　　第二個例子，我們都知道視障人士在其他感觀的靈敏度比視

覺正常人士更高，由於他們無法獲得足夠的視覺資訊刺激，所以大腦中處理視覺資訊的細胞會慢慢被閒置。大腦細胞是相當珍貴的，因為大腦細胞並不能重生，也就是說，如果大腦任由沒法工作的視覺神經細胞閒置下去的話，大腦將會失去很多能工作的神經細胞的力量。而大腦是珍惜及節省資源的，所以大腦中本來負責處理視覺資訊的細胞會慢慢被其他感觀細胞（例如聽覺系統細胞）「入侵」，聽覺系統將會佔用視覺系統區域。由於處理聽覺資訊的細胞變多了，所以視障人士的聽覺系統也會變得靈敏。根據以上的神經科學現象，可見我們的大腦十分吝嗇能量及資源，基於這個生物特質，要大腦運用能量的事往往都不能讓我們很主動地去做。

所以人天性是懶惰的。這裡說的懶惰是保存能量的行為。大腦節省能量的本質造就了我們許多懶惰的行為。如果可以的話，我們都想什麼都不做，都想任性，都想不顧一切地耍廢。因為這些行為都是需要較少能量的。

改變是辛苦的，會令你損耗很多能量。所以我們在生物本質中都不喜歡改變。喜歡做著一份穩定的工作，每天過著一式一樣的生活模式，直至不得不改變的時候。而這裡說的不喜歡改變是指不喜歡由壞至好的改變，不是由好至壞的改變。由好至壞的改變在生物本能上是令大腦喜歡的，例如從一個勤奮的人變成懶惰的人、從一星期做五次運動到不做任何運動、從嚴格控制慾望節制飲食到放縱自己暴飲暴食，這些都是很容易辦到的。但如果是由壞至好的改變，例如要你衝破心理障礙、克服恐懼的改變，那

就難了，因為你正在把大腦從安逸推向未知。

　　覺得自己不能改變，是一種大腦為了節省能量的生物本能。而這種生物本能又和我們的思考系統環環相扣。

不喜歡消耗能量也影響你的思維模式

　　不知道大家有沒有讀過 *Thinking, Fast and Slow*（中譯《快思慢想》），作者 Daniel Kahneman 是一位在行為經濟學及社會心理學領域中享負盛名的學者，他也是諾貝爾經濟學獎得主。Kahneman 在書中有一個很有名的雙系統思維理論（dual process theory），就是從這本書開始廣為大眾所知。雖然雙系統理論並不源自 Kahneman，但可算是他將此理論再度發展，並以科普書籍形式推廣到社會大眾。

　　雙系統理論指的是大腦有兩種思維系統作出決策，一種高速、不經意識、自動化、耗能量較少，但不那麼準確，稱為系統一（System 1）；另外一種作決策時則速度較慢、經邏輯思維、非自動化、耗能量較多，但較為理性及準確，稱為系統二（System 2）。我們有很多不好的思考習慣都是由系統一引起，例如：我們因為一個人的膚色而產生不良好的思想意識；我們常常將責任推往受害者（blame the victim），「你被性騷擾是因為你衣著太性感」。這些都是一些未經深入思考的系統一思考，簡單地將膚色和品格連結起來，這樣能夠節省能量，大腦十分喜歡；將罪責推至受害者身上也能將事情簡化，這樣就不需要去思考和調查了。如

果你是常用系統二思考的話，你就會知道膚色不代表什麼，而責任也只會在加害者身上。

人天性都不喜歡用腦思考，因為這樣太累、太耗能量，所以當你被快速主觀的系統一騎劫了你的思維系統時，你就會養成很多很壞的思考習慣，你會很容易形成極端的思維、以貌取人、歧視對立群組的任何一個成員、被假新聞騙到、人云亦云喪失獨立思考的能力等。這種片面及懶惰的系統一思維更會讓人不思進取，令我們掉進一個現狀偏誤（status quo bias）的陷阱中，這是一種大腦不作深入思想而產生的一種認知偏誤，它令我們認為所有改變現時狀態的都會是一種損失，所以令人傾向不作改變，也不相信改變會帶來好處。認知偏誤基於沒有運用系統二思考，不相信自己能改變的人沒有深入思考這行為的可能性，以及一個詳細計劃去幫自己一步一步地改變，只用系統一作出武斷的判決——「很難！沒可能！」，就把所有的可能性抹殺掉，還沒想怎樣去嘗試就輕言做不到，是一種不經思考的判斷，是你沒有努力思考的後果。

我們要反抗大腦：改變是成長的根本

我們做任何決策，其實都在計算成本效益比（cost-effect analysis），在主觀感知上，成本越低、效益越高的東西讓我們更有行動力，但是當決策的成本越來越高時，我們便會遲疑起來。年輕時改變的成本不大，輸光了還有青春重新開始。所以年輕人較有冒險精神，敢於轉換行業，甚至全情投入去創業。但是當人

慢慢長大，步入中年後，生活成本越來越沉重，作為家中經濟支柱的你，深知道你的轉變可能不只影響到自己，而是全家的生活，所以你失去了青春時的勇氣，變得畏首畏尾。你明知道改變是好的，明知道你可能用兩三年時間去適應這個改變的話，就能換來以後幾十年的舒適，但你都不會踏出那一步，因為眼前這兩三年的未知對你的心理成本實在太大。

你不敢去想，為了讓自己心裡好受一點，你對現狀的不滿合理化，自我安慰道：「我總算比上不足，比下有餘，我應該要知足一點。」但是這種合理化並不能令你完完全全地解開心結，你的內心還是會思考著：「如果我現在轉換工作環境，我會更開心吧？」「如果我徹底改變現時的生活習慣，我應該會活得更有衝勁吧？」你明知道改變是好的，卻因為顧慮那個「成本」問題而不斷押後改變的日子。然而當你拖延著去改變，時間拉得越長，改變的成本也變得更大，這種在計算成本上無止境的心理拉扯令你心力交瘁，如果最終你都無法突破這個心理壁壘的話，你的心將永遠附帶著一個遺憾。在某個瞬間，你的大腦將被很多「如果這樣……會怎樣」的問題（what if questions）纏繞著。

既然你因為時常計算成本而放棄改變，那為什麼不更深入地去研究成本，從而控制改變的風險呢？既然成本是你改變的絆腳石，不如將成本分析當作你去勇敢改變的定心丸吧。就像投資一樣，高級投資者和一般投資者對於風險管理有不同看法，一般投資者會選擇迴避風險，但高級投資者會深入思考如何控制風險的操作。同樣道理，面對改變時，你要做的不是懼怕成本，而是思

考如何將成本降低。當你在做一份有穩定收入的工作時，你覺得此等生活枯燥乏味而想作出改變時，你要考慮的不是辭職後你的成本有多大，而是想辦法如何在保持這份工作的同時，又能為你的生活開始增添一些改變，例如你是否願意在工餘時間開始一份副業，待你的副業經營成熟後才把本來的工作辭掉，全心投入於你熱愛的副業？這需要決心，也需要不畏懼艱辛、忙碌及困難。

沒錯，正如上述，動物本能都是懶惰的，但我們是人類，我們是否就只有「懶惰」的一面？當然不是。要是只有懶惰的一面，那我們的世界將不會有現在的文明，我們的世界就和普通動物的原始社會一樣了。由於人類大腦的獨特性，我們總能壓制那天性想躲懶的思想，為我們的目標及夢想奮鬥。所以信念堅強的病人才會無論受盡多少痛苦也不放棄；有偉大願景的人無論吃多少苦也能堅持。這些意志力超越了一切動物本性，這也是發生在人類世界各種奇蹟的根本。

「但我都不相信自己能改變，我還能用行動作出改變嗎？」

很多時候我們總有一個很直觀的想法，就是如果我沒有那個信念或態度的話，我是不能作出相應行動的。這很符合我們的主觀經驗，例如我不愛那個人的話，我是不會對他好的；如果我不喜歡健身的話，我是不會去健身房的；如果我沒有信心創業的話，我是不會去創業的。但是，從心理學的研究中，我們知道態度其實不能完全預測著行為。以下是兩個常見的例子。很多人打從心底是非常支持家居廢物分類的，當他真的要去做垃圾分類時，卻有許多理由去拒絕把信念付諸實行；每個人都知道吸煙是

危害健康的，但是吸煙人士會説「反正我不想那麼長命」、「會病的話無論是否吸煙都會病」等理由去合理化吸煙的行為。

信念或態度不是那麼直接就能影響行動，所以我們需要告訴自己，自己不相信的事情未必就等於我們做不了那件事。很多時候當我們行動起來後，便能加強我們的信念，令我們真的相信或喜歡上那個行為。正如之前所説，在心理學上這稱為自我感知理論（self-perception theory），如果我們的態度無法被自我肯定，我們會觀察行為，從而用行為影響態度的形成，甚至發展相關的態度。例如你很愛女朋友未必是真的很愛她，是因為你做了很多對她好的行為，強化了你愛她的這個態度。你很喜歡你的工作未必是因為你本來就很有熱誠，而是可能你付出了很多很多的努力，這些努力催生出你的熱誠。

只要開始去做，便能強化我們的態度；越做得多，就會越來越喜歡，就越相信自己能做得好。

全球暢銷書 Stephen Covey 的 *The 7 Habits of Highly Effective People*（中譯《與成功有約》）中有一段關於如何愛別人的描述：「Love is a verb, but reactive people make it a feeling...love is a value that is actualized through loving actions.」這是 Stephen Covey 在讀者問「當一段關係已失去了愛的感覺時如何愛下去？」的答覆。Stephen Covey 認為愛是一種行動，而不止是一種浪漫感覺。失去感覺而不再愛的話並不合理，失去的感覺是透過愛的行動而恢復的。所以，不要再説已經沒有感覺，而是要把愛的行動先做出來，之後那種感覺就會回來。

　　這段說話、這種思想充滿哲理，也正正和上述的一致。行動反過來影響態度是一種很複雜的人類思想引致的有趣現象。我們的大腦不喜歡矛盾（inconsistent）的思想，這會讓我們產生焦慮及認知負荷，所以我們會改變行為或態度去讓自己變得更一致。例如當你花了很多努力在一份工作時，你會說服自己是很喜歡這份工作的，不然這麼努力似乎沒有意義。同時這也是一種大腦中的努力捷思（effort heuristics），當你越努力去為一件事物付出力量時，大腦接觸這事物的時間及機會就會更多，變相增加了大腦處理這資訊的準備度（readiness），大腦很喜歡準備度高的刺激物。所以我們透過越大的努力去追求一件事物時，我們就會越喜歡它，越喜歡便會覺得它越有價值。

　　很多時候希望是由於動作而產生的，而不是因為有希望我們才行動。

　　改變的信念是因為你勇敢去改變而被強化，而不止是你相信你能改變才會有勇氣去改變。

　　但是，人真的可以改變嗎？

　　正式討論這個問題之前，筆者想首先表達一個立場：任何動物都可以改變行為，而所有動物中，沒有一種動物能像人類一樣能為了一個目標而徹底改變自己。

　　如果大家有養狗作寵物的話，你應該很清楚牠們能為了食物或其他獎勵而「接受訓練」改變行為。人類為了一個目標改變得更

厲害，有時候甚至可以變成另外一個人。一個人為了功名利就，不惜從一個從小溫文爾雅的人變成一個出賣朋友的人；一個受過情傷的人，為了之後不再受相當的傷害，從一個無私奉獻的人搖身一變成為一個凡事斤斤計較，甚至主動在情感上操控伴侶的情人；一個夢想成為醫生的學生，為了這個目標，從一個本來對所有事都馬馬虎虎的學生變成一個每晚溫習至半夜、上課非常認真的學生。

　　沒有一種動物像人類那樣「不擇手段」，為了一個目標可以徹底改變思想和行為。

　　從嬰兒期到今天，你能算出自己改變了的地方嗎？沒法算清對吧？我們的成長本能就是倚靠著改變，而改變正是成長的基礎。沒有改變，我們將無法進步。嬰孩時的我們十分脆弱及無能，當遇到困難時只懂哭喊，我們靠著像生物奇蹟般的努力學懂了語言，運用語言我們開始懂得表達自己的思想，我們對世界十分好奇，思想毫無限制，總是問著為什麼。但是，隨著進入學校系統，我們一部分的好奇心被學校系統的遊戲規則限制，因為在那個框架下，我們並不需要問那麼多「為什麼」；隨著年歲漸大，我們學懂了妥協，因為改變的成本太大；就這樣，我們把人類最珍貴的本能——改變（思維的改變、行為的改變）漸漸拋諸腦後，卻非常諷刺地喊著：「我是沒法改變的。」我們的本質就像水一樣，本來能千變萬化，但因為你進入了一個箱子後，你就以為你永遠都只能是箱子的形狀嗎？走出這個箱子，看看自己是誰，看看自己能多有韌力。

變幻原是永恆，改變才是永遠不變的事。

所以，人為什麼不可以改變呢？

我們的大腦本來就是每天都在改變

大腦控制人類一切的思想和行為，而大腦這個掌管一切的器官每天都在改變。大腦中的一千億個腦細胞由無數條神經連結連接著，形成一個極複雜的資訊處理系統。這些神經連結標誌著我們存在大腦中的資訊，也就是我們常常說的記憶和技巧。如上文提及，我們存在大腦中的資訊並不是永久保留的，那些被閒置的資訊，無論是記憶或技巧，都會因為相關的神經連結中斷而消失或減弱。大腦不斷在改變，令我們更能適應現時的環境。

不知道大家有沒有聽過「幻肢現象」（phantom limb sensation），從這個現象中，我們可以看到大腦改變的能力究竟有多高。幻肢現象出現在接受截肢手術後的病人身上，有很多種呈現模式，其中一個例子是如果病人因為事故而需要把左前臂截掉的話，手術過後，當人輕觸他左邊臉龐時，他會同時覺得觸感也發生在他被截掉的左前臂上。這是為什麼呢？這個首先要從大腦的結構說起。

人類頭頂較後的位置，有一個主要體覺皮質區（primary somatosensory cortex），它的功能為接收來自身體各個部位的體感觸覺。主要體覺皮質區的各個位置是和身體各部分相連的，

也就是説，來自身體特定部位的體感觸覺會傳至主要體覺皮質區中的特定部位作資訊接收和分析，我們將這個網絡稱為體覺地圖（somatosensory map）。

　　從以下關於主要體覺皮質區的橫切面的繪圖中，大家可以看到負責接收來自臉龐和前臂的體覺皮質區區域是相連的。

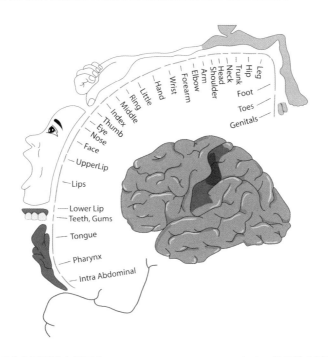

圖中顯示的主要體覺皮質區（primary somatosensory cortex）中，負責接收面部觸感訊號的區域在接收手部觸感訊號區域的附近。當手部被切除後，接收手部觸感訊號區域會被「閒置」，這會令接收面部觸感訊號區域「入侵」隔壁的手部觸感訊號接收區域。所以，當觸摸病人的臉孔時，病人同時會覺得被切除的手部仍然感受到觸感。

活得真累

　　當病人的左前臂被截肢後，本來負責接收並處理來自左前臂的體覺訊號的主要體覺皮質區的區域會突然被閒置，因為它再也不能接收任何來自左前臂的體感資訊。這種情況下，如果沒有任何補償機制的話，該區域的神經細胞會慢慢因為沒有工作可做而白白被浪費掉。

　　基於大腦對資源是十分珍惜的，而且大腦就只有一千億個腦細胞且不能再生，如果白白對那些被閒置的皮質區區域「坐視不理」的話，那麼大腦就可能會損失掉幾十萬個腦細胞的工作能力，這是大腦絕不允許發生的事。所以大腦演化出一個機制，這種情況下，負責處理來自臉龐體感資訊的體覺皮質區區域會伸出神經軸突（axon）去連接起那片被閒置的區域（因為這兩個區域剛好在主要體覺皮質區中處於相連位置），「入侵」該閒置區域，把本來接收來自左前臂體感的區域變成同時接收來自左臉龐體感的區域。這個「入侵」過程完成後，當病人的臉龐受到觸摸時，同時也會錯誤地認為被截掉的左前臂也正在受人觸碰。

　　在幻肢現象中，我們能見識到大腦改變自己的能力。面對外間環境的轉變，大腦能快速地作出應變，改變自己。除了幻肢現象以外，大腦為了適應環境而不斷改變的例子比比皆是。一名後天失明的病人，原來的視覺神經區域被其他感觀神經區域「入侵」，令他的聽覺、嗅覺等感觀都比普通人來得特別敏銳，這是大腦為了適應失明後的世界而作出的調整；大腦因為各種原因，如腦創傷或腫瘤等引致某系統中的腦細胞死亡後（例如專門產生多巴胺的腦細胞），剩餘生還的腦細胞會釋出更多的多巴胺去彌補腦細

胞死亡帶來的多巴胺缺失，務求令多巴胺供應盡量穩定，此現象稱為去神經超敏感性（denervation supersensitivity），這也是大腦面對環境改變後作出的應對策略。

　　大腦的改變甚至在我們熟睡時也不斷地進行。從神經科學的研究中得知，人類在不同的睡眠階段，大腦會作出改變，強化不同類型的記憶。一般來說，睡眠階段可以分為第一階段、第二階段、第三階段、第四階段（Stage 1, 2, 3, 4）和快速眼球運動階段（rapid eye movement, REM）。其中第三及第四階段也被稱為深層睡眠階段或慢速波段睡眠階段（deep sleep/slow wave sleep）。我們的長期記憶儲存在大腦皮層中相應的神經連結中，也就是說，當神經連結減弱或中斷，相應的記憶便會淡忘或消失，反之亦然。

　　長期記憶分為兩個大類別，分別是顯性記憶（explicit memory/declarative memory）及隱性記憶（implicit memory/nondeclarative memory）。顯性記憶的例子有你的名字、住址、書本知識等記憶；隱性記憶的例子則有各種運動記憶，包括游泳、騎單車等。研究發現，在快速眼球運動階段中，隱性記憶會被強化；而顯性記憶則會在深層睡眠階段中被強化，所以大家可以想像一下，每天晚上當你進入夢鄉時，你的大腦仍在不斷持續變化。大腦就是這樣，面對改變時不斷作出調整以適應改變。大腦是控制人類一切的器官，大腦改變的能力如此之高，為什麼我們不能改變呢？

成長心態

「嘩，你考試拿這麼高分，你真是聰明！」「我的兒子像我一樣有天分，所以能在游泳比賽中拿第一！」「他天生就是要當一個數學家，你看他數學考試成績多好！」……這些話是否似曾相識？你小時候有沒有聽過？或者你現在有沒有聽過別人這樣稱讚你的小孩、學生或者後輩？

而你自己，又有沒有曾經跟自己說過類似的話？

「我是無法改變的，他能經常改變是因為他的性格是那樣。而我的性格就是令我很難去改變。」

心態類別理論由著名心理學家 Carol Dweck 於一九八〇年代開始發展，直至二〇〇七年，她將幾十年的相關研究輯錄成一本科普作品 *Mindset: The New Psychology of Success*（中譯《心態致勝》）後，「成長心態」這個術語才開始慢慢廣為大眾所知。心態理論一開始是研究人們對於智力性質的觀感，究竟人相信智力是天生，還是能透過後天培養？其後理論擴大至許多層面，包括你是否相信能力只取決於天生的特質，還是你相信能力可以由後天的努力培養出來？如果你相信你的聰明才智及能力都是由天賦決定，而你很難去改變的話，那麼根據心態類別理論，你就是一個定型心態者（fixed mindset）。但是，如果你相信智力及能力能透過後天的努力去改善的話，那麼你便屬於一個成長心態者（growth mindset）。

　　成長心態者和定型心態者會在很多層面展現不一樣的行為傾向。例如，由於定型心態者太著重於天生特質，故較不容易突破瓶頸，除非他們願意跳出自己的舒適圈，不斷改變策略及挑戰自己的極限。定型心態者不相信自己的界限能被突破，所以也較不願意走出舒適圈去改變自己。

　　成長心態者則對所謂的天生特質較不敏感，他們只關注在過程中有什麼可以做得更好的地方，因為他們深信能力由過程中獲得的經驗慢慢培養而成。這種信念令他們在過程中披荊斬棘般地解決一個又一個的難題。關於定型心態和成長心態的論述，讀者可參閱《改變人生的正向心理學——尋找快樂，追求夢想》有關內容。

　　總括來說，成長心態者接受改變，因為改變是人生過程中的基石。若然你現在是定型心態者也不要緊，因為你現在知道了成長心態這個術語，你將可以切換你的思維模式，把更多的成長心態注入你的思維之中。

　　近兩年，大家經常聽到的「Be Water」，其展現的哲學思想不就是成長心態的意思嗎？我們都是人生中的水，水在流動的過程中會遇到很多形狀的石頭或障礙物，但水往往都可以改變形狀，順勢而去，展現無限可能。

哪管年紀多大，都可以有個人成長
(personal growth)

　　個人成長就像是幼蟲從蟲蛹幻變成蝴蝶的過程，是一種質的改變。人生不同的經歷都會促使個人成長，例如情傷、親人離世、參加某個課程或活動等。這跟我們常説的「經一事，長一智」有異曲同工之妙。個人成長在經典的人本主義心理學中已被研究，它不受年歲及環境規限，無論你年紀多大，無論你身處什麼境地，只要你願意在人生發生的事情中主動尋找意義，你都可能會得到個人成長。每件生命中發生的事情，本質上並沒有好與壞之分，是好是壞，是我們給予的意義。是好是壞，由你自己去選擇。也就是説，是否有個人成長，一部分取決於你有沒有個人成長的動機。

　　個人成長動機（personal growth initiative）在心理學中是幸福感的其中一種先決條件。個人成長動機是一個多維度的心理建構，能引起每個人不一樣的認知及行為傾向。而個人成長動機包括四方面：

1. 改變的準備（readiness for change, RC）
2. 計劃（planfulness, PL）
3. 運用資源（using resources, UR）
4. 行動（intentional behavior, IB）

　　一切的開端取決於你有沒有那個想令自己變好的心。若然沒

有，那麼無論別人怎樣説也沒有用，而本書對你也毫無意義。若然此刻你已有改變的想法，那麼筆者首先要恭喜你，因為你將邁出一步又一步。星星之火，可以燎原。任何偉大的成就無不首先出自一個一閃而過的念頭。更重要的是，我們要將此等思想具體化，並計劃如何去實行它，如何將改變的想法變得真實。當作計劃時，切忌籠統，計劃必須要具體及能被量化，計劃也需要在時間框架下進行。自己如果不加以逼迫自己的話，別人是絕不會逼你的，因為每個人都有自己的人生步伐，沒有誰比你更需要為你的生命負責任。在完成初步計劃後，要找別人幫忙。人脈關係是一種最重要的資源，尋找有能之士的回饋和指導，你將會如魚得水。沒有朋友怎麼辦？從今天開始努力並真誠地建立人際網絡。最後當然就是把你心中所想的付諸實行。這就是個人成長動機。對看到這裡的你來說，這些內容不會感到陌生吧，因為它和上述章節所說的並沒有任何抵觸。

你有一個想法，你有一個目標，你想去改變的話，麻煩你做出來。沒有任何人能教你「如何」勇敢去做出來，這個要靠你自己走出第一步。只要有第一步，就會有第二步、第三步……藉著你的成長心態，過程中你會不斷獲得解決難題的新能力，不斷有個人成長。當你在這樣的人生路中走上了一段時間後，你將和一年前、兩年前的自己不一樣，你將慢慢變成你想成為的人。

最重要的是——改變。作出改變，需要你變得勇敢。

Actions breed actions.

　　我們每一個人出世時都有一個「高度」，這個高度受你的家庭環境限制，而這個高度也受你的天生基因限制。例如，一個出生在經濟基礎雄厚、父母學識豐富、人脈甚廣的家庭，天生長得又高又漂亮的女生，她走的人生路一定比一個出生在普通家庭、天生有殘疾的女生來得順利。但是，就像之前討論的「起跑線」一樣，即使受天生因素控制的「高度」有別，或會影響著我們最終能達至的高度，我們仍然要學懂「不妥協」，勇敢地接受各種挑戰，努力變成自己的最佳版本，爬到我們能爬到最高的地方。每個生命體就像一個受很多個參數控制的程式，儘管不少參數是內置的，但部分參數卻能透過和外在因素互動，將它們調整至最佳狀態。這不關乎你天生的「高度」，關鍵是你有否投入於你的生命，以及你有沒有一顆想變好的心。

 延伸閱讀

Weigold, I. K., Porfeli, E. J., & Weigold A. (2013). Examining tenets of personal growth initiative using the Personal Growth Initiative Scale-II. *Psychological Assessment, 25*(4), 1396-1403.

改變，就是重新活一次。

改變，要你自己來。

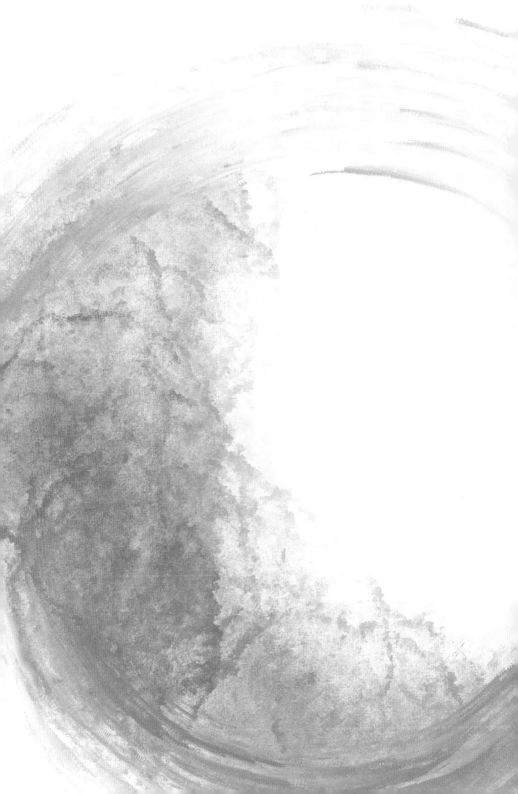

第二部分：

外在世界 VS. 內在世界

我們在一個有七十八億人口生活的星球上居住。七十八億人即有七十八億個大腦、七十八億種截然不同的思維方式。這七十八億人有完全不一樣的生命軌跡，有不一樣的價值觀，也有對世界不一樣的期望。世界有七十八億人，但是「自己」卻永遠只有一個。要照顧好七十八億人的期望？還是照顧好自己對自己的期望來得更省心一點？筆者相信答案並不模糊。

這個世界有兩種世界——「內在世界」和「外在世界」，「內在世界」由我們自己掌控，而「外在世界」卻為七十八億人共同掌控。諷刺的是，我們總介意別人的目光，總為了誰誰誰的期望而活。我們都愛把專注力放在「外在世界」，放在那七十八億人身上，卻沒有用心理會那個獨一無二的「內在世界」，為什麼總要忽略那個只屬於你的「內在世界」？

我總覺得自己比別人差，
所以我覺得自己沒什麼價值。

第三章
• • •

我真的很喜歡
跟別人比較

活得真累

　　人類是高度社會化的動物，我們對世界及對自我的認知，都是藉著和別人互動而建構出來的。也就是説，我們需要別人提供一些資訊，然後運用它來幫助我們瞭解這個世界，以及瞭解自己。「別人」這個外在世界成為了我們的鏡子，是我們的參考點。

　　我們每個人都會有一個對自己的概念，心理學上稱為自我概念（self-concept）。顧名思義，自我概念就是對自己的一個整體觀感及定義。簡單來説，如果你被要求作二十句簡單句子去形容自己的話，那麼這二十句句子的內容就是你的自我概念。如果是筆者的話，筆者會這樣形容自己：

　　　我是一名心理科學家及教育者。
　　　我的性格是平靜及樂觀的。
　　　我比較自我，不太理會別人的看法。
　　　我比較內向。
　　　我很喜歡看非小説類的書籍，對科技、歷史、動物、飲食等題材較有興趣。
　　　我對文化、音樂、宗教等題材不太感興趣。

　　上述六句句子描述了筆者對於自己的理解，這些內容正正是筆者對自己的自我概念。而讀者透過這幾句的形容，大概也能勾劃出筆者的性格。這些自我概念是隨著年月而累積的。而自我概念的建立是基於多方面的來源，包括你扮演的角色、你過往的成功及失敗經驗、別人對你的評價，以及社會文化層面的影響。

　　我們每個人都扮演著許多角色，例如在職場上的角色、在家

庭中的角色、在社區中的角色等。這些角色都是建構每個人的自我概念的重要元素。在扮演每個角色的進程中，你從你的行為去瞭解自己。例如，你可能從你和孩子們的疏離關係中瞭解到自己並不是一名稱職的父親；但從你在工作上的成就可見你是一名出色的領導者。我們的自我概念本質上就是從各種大大小小的角色去建立，每個角色就像是一塊生命拼圖，能讓你知道自己是個怎樣的人。

　　正如上述，你做某件事的成功或失敗經驗都會大大影響你對自己的瞭解，尤其是在能力方面。大家可以思考一下，我們對於個人能力上的理解會否都是來自有多少成功或失敗經驗？假如你從小數學成績名列前茅的話，你會覺得自己是擅長數理科的人；如果你在運動場上總是拿不到任何獎項的話，那麼你便會定義自己為一個「運動白癡」了。

　　別人對自己的評價也會影響著我們的自我概念。如果你身邊充滿著一些經常正面鼓勵你的家人和朋友的話，你會較容易相信自己的能力，而且更能面對困難。總是被別人稱讚在某方面有天分的人，會慢慢相信自己真的有天分，繼而相信自己有能力把事情做好。但是，如果你身邊經常圍繞著一些非常批判（judgmental）的人，總是跟你說一些難聽的話去打擊你，久而久之你對自己也會有一個較負面的自我概念，他們的評價會影響你對自己的瞭解。

　　在什麼樣的文化背景下成長也會影響到你如何理解自己的角色。在研究領域中，東西文化的差異常常被用作研究如何影響人

的行為及思想。東方集體文化（collectivism）深受儒家學說影響，強調人與人之間的和諧關係，人們不能太過獨斷獨行，因為這樣可能會傷害到別人的感受。所以在東方文化中，人們較追求團體的成功，較著重全局觀，一切「以大局為重」，不鼓吹有強烈的個人主見。至於推崇個人主義（individualism）的西方文化則截然不同，西方人追求個人思想自由，他們很勇於表達個人意見，也很尊重異於大局的獨立思考。對他們來說，與「別人的面子」相比，「有意義的個人思想」更重要。

　　在宏觀集體主義的文化背景薰陶下，東方人和西方人在自我概念的形成上大有不同，例如東方人較著重於獲得家人及朋友的認同（social approval），而西方人則較強調個人自由及選擇。很多有趣的心理學研究都有支持這一觀點的證據。例如二〇〇九年在 *Journal of Cross-Cultural Psychology* 期刊中發表的研究報告指出，百分之六十的美國學生在朋友反對下仍會堅持和心儀對象約會；而中國學生的比率只有百分之二十七。而研究中有一半的中國學生表示如果父母不允許的話，他們會終止和心儀對象繼續發展感情；美國學生則只有三分之一會做相同的決定。文化影響著人和人之間互動的模式，我們很多的自我概念正正就是來自於和別人之間的交流，所以文化很大程度也會影響我們的自我概念形成。

社會比較理論

　　除了上述的四個來源之外，自我概念的發展也和社會比較（social comparison）息息相關。社會比較理論（social comparison theory）由心理學家 Leon Festinger 於一九五四年在一份學術論文中提出。我們會透過和別人作出比較去理解自己在各方面的優劣，例如我們是否美麗、是否能幹、是否內向等，都能透過和別人作對比而略知一二，因此你身處不同的環境也會令你產生不一樣的自我概念。假如一個中學生在一所普通中學就讀，身邊的同學在學術上並不太過出眾，他可能較容易因為比別人優秀而產生自信感；但是當這位學生轉學去一所著名中學就讀，由於身邊臥虎藏龍，學習能力出眾的同學比比皆是，對比之下他變得平庸，也失去以前的自信心。這也是我們經常討論的話題：「究竟做池塘裡最大的一條魚好，還是在大海中做一條小魚好？」當然，這裡不是說你在比別人差的環境裡就一定會失去信心，當中還視乎很多因素，例如你的性格，有些人遇到強悍的對手反而會把對方視作目標，並努力超越他們。

　　和別人比較是一個簡單又直接的方法令我們知道自己是比較好的一群，還是比較遜色的一群。社會比較可以分為兩大類，包括向上比較（upward comparison）及向下比較（downward comparison）。向上比較就是跟一些比自己在某方面優秀的人

比較，從而理解自己的水平在哪個位置。例如你在學業上想知道自己到底是好還是差，你就將自己和全級第一名的同學作比較，看看你們的考試成績相差的分數有多少；你和一個比你掙得多錢的同事作比較，以知道自己的經濟條件到達哪個水平；你是一名籃球運動員，你總是將自己和已故 NBA 球星 Kobe Bryant 作比較……這些都是向上比較。視乎你的性格或其他心理因素，向上比較是一把兩面刃，它可以令你覺得自己一無是處，因為你總覺得別人比你優秀；它也可以令你充滿鬥志，以比較目標作為楷模，鼓勵你向那些比你強的人看齊。

另一方面，向下比較則是和一些比你差、比你弱的人比較。和一個月薪比你低的人作比較，你會覺得自己其實也不是那麼差。然而，也視乎你的性格和其他心理特質，向下比較或者能保護你的自尊心，並且令你回復自信；但另一方面，它會令某部分人驕傲自滿，不思進取，甚至變成井底之蛙，以為自己比大部分人都厲害。

無論是向上比較，或是向下比較，它都是兩面刃，運用得宜，這些比較是你尋求進步的好朋友；運用失當，你就會被社會比較「綁架」，這種和「外仕世界」的比較將慢慢令你的幸福感消失，令你終日惶恐不安。面對著這些必然發生的社會比較，我們應該如何駕馭它？

向上比較時，將那個比你優秀的人當成你的楷模，並努力去追逐他。

　　向下比較時，相信自己的能力，並對自己有信心。同時不自滿，因為天外有天、人外有人。

　　社會比較雖然簡單方便，但很多時候我們都會基於一些不完全的資訊去做這個行為。俗語有云：「你看我好，我看你好。」尤其現時社交媒體氾濫，令我們很容易就能探視到別人的生活模式，卻又往往流於片面的理解。各人對於社交媒體的運用都不一樣，有些人基於種種心理原因，特別喜歡將最好的一面展現給別人知道，例如經常上載他們的成就及生活最美好的一面，如經常出入高級場所、到處旅行或享受奢華美食等。但這些資訊其實都是不完整的，這些資訊不能完全代表一個人。如果你只看到別人的不完整資訊，而又把它當成是他的全部去作出社會比較，結果落得自己又窮又醜又差而自卑的定論，這是以偏概全，是一種十分不合邏輯的行為。我們為什麼要做一個沒有邏輯思考的人呢？「你看我好，我看你好」正正是一種以偏概全的社會比較模式，每個人都注視別人擁有而自己沒有的特質，並且把它無限量放大。只專注「外在世界」的美好，卻沒有感受一下自己的「內在世界」所擁有的優勢。

　　心理學研究也不斷指出，越在乎和別人比較的人，例如經常注視別人在社交媒體上載的內容而作比較的人，會更容易患上抑鬱症狀。更有趣的是，二〇一六年在學術期刊 *Cyberpsychology, Behavior, and Social Networking* 上發表的實驗研究指出，被強制放棄 Facebook 一星期的實驗參加者相比那批被允許繼續使用 Facebook 的實驗參加者來得更快樂。其中一個原因，就是被迫放

棄使用 Facebook 的人，同時也放棄了關注別人的一舉一動。這就是我們不去專注「外在世界」的威力，當能量都集中於自己的「內在世界」時，平和安靜的幸福感就會到來。

我們生活在世上，儘管過著群居生活，而我們的行為及認知也很容易受著別人的影響，但是，無論我們身邊的環境有多少人、有多麼紛擾、有多麼嘈雜，最終所有決定都要由我們自己選擇，所有結果都要由我們自己承擔，所有困境都要由我們自己走出來。很多時候，我們都要更加「自我」一點，和周邊的世界區隔，這樣反而能為你帶來平靜。

不比較，更快樂。

為什麼我這麼喜歡比較？

　　正在讀此部分的你，覺得自己是那些很容易跟別人比較的人嗎？就如上述，即使社會比較是一種人類本能去令我們更瞭解自己的優劣，也就是說社會比較是一種讓我們認識自己的途徑，但是有一部分人就是會過分沉溺於和「外在世界」的比較之中，而將所有自己的價值都取決於別人的評價。彷彿一旦別人比自己好，哪怕只是好那麼一點點，就會覺得自己一無是處。就像以下的圖示，社會比較本來是一個中性的人類行為傾向，透過和別人比較，我們知道自己的位置，知道自己的優劣。但基於種種原因，例如每個人的性格特質、家庭教養和個人成長經歷等，不同的人對社會比較的敏感度都不一樣。

極度依據別人的評價　　　健康的社會比較　　　　　　極度自我

　　有一些人是極度自我的，幾乎無視社會比較，因為在他們的感知中，自己是至尊無上的，他們只會看到別人的差和自己的好，他們的人格是自戀的（narcissistic），這些人就像上圖中極右方的人。但有另外一種人，他們對社會比較十分敏感，他們對自己的觀感幾乎全憑別人的評價，只要得不到別人的認同，無論自

己客觀上（不論外形或能力上）有多優秀，他們都會覺得自己是最醜、能力最差、最不值得被愛的一群。他們的價值全靠別人施予，不懂得欣賞自己，就像處於上圖極左方的位置。對於上圖極右方的狀態，請恕筆者在此忽略不作探討，以下將會說明處在上圖左方的人，他們特別容易跌入和「外在世界」的別人比較的陷阱的心理原因是什麼。

從小開始接受的家庭教養模式（parenting）

人類從出生開始，最初期接受的所有訊息，包括價值觀及行為習慣等全都是內化（internalize）自父母的教養模式。父母對著孩子的一言一行就像為每個小孩埋下了一顆關於性格體系的種子。儘管這顆種子如何發展也會被孩子們長大後的人生經歷影響，但如何埋下一顆好種子，絕對是家長的責任。而部分人終生受著社會比較的影響，其中一個原因可能就是來自家長的教養方法。

人本主義心理學（humanistic psychology）其中一位著名的心理學家 Carl Rogers 提出一個理論稱為無條件積極關注（unconditional positive regard）。要理解什麼是無條件積極關注，或許我們可以用家長和小孩子之間的關係作為例子。父母對子女總是有很多期望，包括紀律或道德行為上等。但是孩子都是有自由意志的人類，他們未必時時刻刻都可以依照父母的期望和規條行事，他們有時候會做錯事，不能滿足父母的要求。無條件積極關注指的是，孩子無論做對了什麼，或者做錯了什麼，父母

對小孩的關注都是無條件正面的，對孩子表達的愛都是無條件地一致而沒有改變的，父母對小孩的愛並不受限於或不基於孩子是否能做到他們心中所想。

例如，子女在學業或者日常行為上並未符合父母的期望，父母固然會失望和不高興，但這些失望和不高興並不會改變父母對孩子的行為一致性，也不會令父母對孩子的愛減少。孩子不會因為令父母失望就失去了父母對自己的愛，孩子仍然會得到父母的擁抱，仍然能吃到父母為自己準備的食物，仍然感受到父母是疼愛自己的。但有一部分父母卻不是這樣，他們對孩子的愛是有條件的，是否施予愛給孩子取決於孩子是否「乖巧」。子女的行為符合自己的期望時，或是「聽話」時，這些父母會大力誇獎他們，並給予他們很多的獎勵、關注及愛護；但當子女未能符合自己的期望時，這些父母會將本來賦予孩子的愛統統沒收，例如不再尊重和疼愛孩子，也可能會出言奚落孩子或說一些非常難聽的話，甚至會停止對孩子最基本的照顧，例如不讓孩子吃飯。在心理學上這稱為有條件積極關注（conditional positive regard），也就是說，孩子如果不聽話，他將失去所有來自父母的愛，甚至不得歸家等。

做得好，才得到父母的認同及愛護；做得不好，父母馬上把愛收回（love withdrawal），這是有條件的積極關注，你對孩子的愛是有條件的。

無論孩子做得好還是不好，父母都會讓孩子知道，他們是愛他的，他們對孩子的愛不會因為孩子做錯了事而減少。這是無條

件積極關注，這樣的父母對孩子的愛是無條件的。

那麼，父母以無條件積極關注及有條件積極關注去教養小孩子，和他們養成喜歡跟別人比較這個特質有什麼關係呢？一個無論是否做出符合父母期望的行為，都知道父母永遠會陪在自己身邊和愛自己的孩子（這裡不是說孩子犯錯父母都不會責罰，他們亦會受到父母責罰，但父母不會沒收孩子獲得愛的權利），他對自己的自我概念是強壯並堅實的，因為他們知道他們值得被愛，他們不需要為了乞求父母的愛及認同，而盲目改變自己並放棄自己的「內在世界」去迎合父母（「外在世界」）的期望。這是一種對自己的安全感（sense of security）。當這種自我概念深深植入價值系統後，長大後這些孩子都會對自己的價值充滿信心，因為他們相信自己在世上的價值不需要由別人賦予，自己也不需要為了尋找別人的愛及認同而扭曲自己的價值觀念。這些孩子對自己的價值是散發自他們的「內在世界」。

我自己的價值不需要你來證明，我相信自己是有價值的。我愛自己，我值不值得被愛也不是由你來控制，因為我本來就是很珍貴，超值得被愛的！

另一方面，當孩子從小生活在父母有條件積極關注的對待方式中，他會相信他所有的價值，包括他值不值得被愛，都控制在「外在世界」中的別人（父母）手上。只要自己做出不符合別人期望的東西，本來獲得的愛都會被奪走。這令孩子對自己價值的安全感消失（sense of insecurity）。久而久之，當這些孩子長大後，他們會將自己的價值及值不值得被愛這些觀念取決於別人，

也就是放在「外在世界」。這次表現有人誇獎了，他們就會覺得自己是有價值，是值得被愛的；如果表現得不到別人認可，自我價值系統就馬上崩潰，覺得自己一文不值。別人說他們美麗，他們就會覺得自己美麗；但如果哪天別人說他們的裝扮很奇怪，他們就馬上失去所有信心。這種人這麼喜歡作社會比較，因為他們所有的自我價值觀感都是來自於「外在世界」，亦是唯一的來源。

而更不幸的是，會這樣對孩子的父母，也特別「鍾情」從社會比較中獲得價值感，所以這種信念會漸漸影響著下一代，他們總會對孩子說：

「別人比你厲害多了，你為什麼不向人家學習一下？」

「你這次考試得了八十分？這又有什麼了不起，班上不是有人考到了九十分嗎？你為什麼不可以像別人一樣聰明？」

比較，對他們來說，是獲得信心的唯一途徑，因為他們不懂得賦予自己價值、信心和愛。既然要從別人身上獲得認同感，改變自己去迎合別人的期望就是唯一方法。慢慢地，這些人將生命之光全放於別人身上，全放在「外在世界」。自己的內心，自己的「內在世界」卻是黑暗又空洞的。他們只能持續不斷去「乞求」別人給予自己光芒，因為他們不懂得散發出照耀自己的彩虹。

我們總希望別人對自己產生良好印象，所以我們會規行矩步、注重儀表、控制談吐，努力維持自我形象（self-presentation），因為這會影響到別人對我們的第一印象的形成和

觀感。舉個例子，以下兩個人，你直覺他們的性格是怎樣的？

　　筆者相信，大部分讀者都會對穿著整齊西裝的男人有較好的第一印象，例如覺得他應該學歷較高、較有禮貌，甚至飲食習慣都會比穿著地盤工作服的男人優秀。根據一份由美國普林斯頓大學心理學家 Alexander Todorov 在二〇〇九年發表的研究報告，一個人對另一個人產生第一印象的時間只需要 0.033 秒，也就是說，大腦連半秒都不需要，就已經判斷了一個人的特質，例如我們經常會將肥胖和善良或無能掛鉤、將美麗和能幹連繫。但這些基於直覺般的第一印象評價總是錯漏百出，一個人給別人的第一印象和他的本質並沒有太大關係。既然人家基於你的形象而對你下的評價往往是錯的，為什麼你要這麼執著於「外在世界」對你的評價呢？

　　每個人都是獨一無二的，每個人都有最獨特的價值。每個人都值得被愛，每個人都應該更愛自己，而不是只顧追求別人去愛

自己或欣賞自己。不要比較,多欣賞一下自己。如果你暫時還不
能欣賞,就作出改變(本書第一部分的中心思想)吧,令自己變得
更好,甚至脫胎換骨,令自己也喜歡上自己。自己不喜歡自己,
卻任由這個你覺得「不好的自己」一成不變的話,那不就像是你吃
著一盆難吃的食物,明明感到難受卻又繼續吃下去嗎?

 延伸閱讀

Festinger, L. (1954). A theory of social comparison processes. *Human Relations, 7*, 117-140.

Tromholt, M. (2016). The Facebook experiment: Quitting Facebook leads to higher levels of well-being. *Cyberpsychology, Behavior, and Social Networking, 19*(11), 661-666.

Zhang, S., & Kline, S. L. (2009). Can I make my own decision? A cross-cultural study of perceived social network influence in mate selection. *Journal of Cross-Cultural Psychology, 40*(1), 3-23.

永遠記住你和全世界其他人一樣，都是獨一無二的。

Always remember that you are absolutely unique,
just like everyone else.

Margaret Mead

每個人都是獨特的，每個人都有個人的長處及短處。

如果你只懂用自己的短處跟別人的長處比較，
這是不合乎邏輯的，也絕對說不過去。

我做這個職業，是因為我父母說這個職業穩定。

如果你問我的話，我寧願去開拉麵店。
我最喜歡的就是吃拉麵，但是家人都不喜歡……

第四章

· · ·

我總是活在
別人的期望之中

別人的期望或意見
總能左右我們的思考及行動

　　人類是高度社群化的動物，與別人合作的能力之高奠定了我們成為「萬物之王」。很多高度社群化的動物都能合作去圍捕獵物，狼就是其中一種在這方面很出色的物種。但狼還未能和人類相比，原因在於人類不只能和關係密切的成員合作，我們還能和素未謀面的陌生人合作，甚至能和敵人因為一個共同目標而合作。合作是人類能適應變化、解決問題及持續繁衍的一個重要條件，而要合作順暢的話，團體內的和諧就非常重要。這些刻烙在我們基因中的行為及思想傾向令每個人都不會太過獨斷獨行。我們都受著各個層級的團體約束，大的話有我們的文化體系，小的話則有我們的家人及朋友。我們總會在不知不覺間因著文化系統的期望、家人及朋友的要求而改變自己的想法和行為。我們的生活很難完全不受社會的約束，而從小到大由父母灌輸的社教化訓練（socialization）都令我們習慣遵守社會規範，例如男人不會穿裙子。然而我們都沒有辦法說清楚男人穿裙了，除了破壞社會規範和感覺「奇怪」以外，到底有什麼真正的問題？

社會時鐘——社會文化下的時間表

　　相信大家都應該聽過生物時鐘（biological clock）這個概

念，它調節著我們人體的生活節奏，如睡眠和甦醒的交替。這個控制睡眠週期的生物時鐘在大腦中，由下丘腦（hypothalamus）中的視交叉上核（suprachiasmatic nucleus）調節。這個部位能因應日光而作出反應，調節大腦中的松果體（pineal gland）釋出有助入睡的荷爾蒙——褪黑素（melatonin）。除了能因應日光調節睡眠行為，生物時鐘還能調節體溫。總之，它是大腦控制身體在一天二十四小時裡什麼時候該做什麼事的中心。但是，「什麼時候該做什麼事」並不只由生物原因控制，控制人類相關行為的還有另一個時鐘——社會時鐘（social clock）。

社會時鐘是一個基於社會期望的時鐘，這些社會期望同時也可以算是一個社會束縛。社會時鐘「規定」了一個人在什麼歲數「應該」要做什麼。這些基於歲數的社會期望（age-graded expectation）某程度上控制了我們的決策，而這些期望則和每個地方的文化規範掛鉤。例如在亞洲地區，女孩子要在二十至三十歲這個範圍結婚；男孩子可能可以大一點點，例如在三十五歲之前結婚。如果一個人沒有按照這些基於年歲的社會期望作出相應的行為，他便會被「外在世界」的別人報以一種奇怪的目光，甚至遭受批判和歧視。例如，在廣東文化中，如果女孩在三十五歲仍未結婚，會被稱為「賣剩蔗」，她們會被認定是個只顧著工作的女強人，又或是因為性格很差而沒有男人接受她。而男人若到了四十歲還沒結婚，可能會被人施加窮、沒能力、不想負責任等負面標籤。若我們未能跟著社會時鐘走的話，我們的人生路彷彿就是走歪了或不正當。

活得真累

　　男孩子大學畢業後一定要有一份穩定的工作，不然會被社會覺得遊手好閒。在香港的話，他們很容易會被標籤為「廢青」，也就是完全對社會沒有任何用處的青年。社會時鐘不容許一個年輕人在大學畢業後花時間去思考將來，一定要馬上找工作報答父母、貢獻社會才是正確的。因為你要趕時間去完成隨之而來的各種社會時鐘定下來的目標，所以你不可以浪費時間在那些有的沒的事物上；一個人在三十五歲前一定要有自己的物業，不然就是「無能」；一對夫婦結婚兩年都沒有小孩就是「不正常」，肯定是身體出了毛病；一個人到了六十多歲以後就不可以再工作了，因為這個社會規定六十多歲就是要退休；四十歲才學彈鋼琴？為什麼這麼不切實際呢？人家學鋼琴從四歲開始，四十歲才學太老了吧……這些施加在一個人的年齡上的社會期望，縱然在不同文化裡或許會有點不一樣，例如有一些社會可能要求年輕人更早結婚生子，但相同的是，我們活在社會中，在有限時間的生命裡，我們的生命發展藍圖似乎很巧妙地就被這個「外在世界」給制約了。

　　如果我們沒有對這個現象有足夠意識（awareness）的話，我們很容易就會走上一條社會認為對的路，別人認為正常的路，終其一生都為著社會的期望和別人的期望而生活，也就是為了「外在世界」而活。這裡不是說跟著社會時鐘生活就是錯，反而它可提升我們生活的穩定性，以及令生命更能預測（predictable）。我們都喜歡可以預測的人生，這樣對我們大腦思考的負荷也會更低一些。這樣的人生或許對某一部分人來說是可取的，筆者絕對支持這樣的想法，若你真的滿足於活在社會期望中的生活方式，你絕對可以繼續這樣做。

　　但是，如果你覺得依照別人的期望，跟隨著社會時鐘而活是感到痛苦，而你根本不想這樣生活的話，筆者希望你去思考一下，別人的期望到底為什麼那麼重要？你對自己的期望難道不比別人對你的期望來得更重要嗎？

　　筆者想跟大家分享的是每個人都有自己的時鐘，每個人都有他的生命節奏及軌跡。你有你的，他有他的。畢業後的你沒有在做社會喜歡的全職「穩定工作」並沒有什麼問題，你可能只是需要更多時間去發掘你的人生目標和你真正的熱情到底在哪，那麼你繼續去尋找就可以了。你到了三十五歲還沒有自己的物業沒有問題，你有自己的生活模式，可能置業並不在你的人生重點事項中；或者你想置業但暫時經濟上並不許可，那麼四十五歲時才置業吧，那也是令人開心的一件事。一個女孩四十歲才結婚，四十五歲才生孩子，難道就不會跟在二十五歲結婚、二十七歲生孩子的人一樣感到開心幸福嗎？不要因為你現在已經四十歲，就說此刻去學鋼琴太老了，因為當你學了十五年後，彈鋼琴對你來說已經不費吹灰之力的時候，你才五十五歲，而五十五歲其實一點也不老啊！

　　古今中外，年齡從來都不是一個因素去斷定一個人成功與否。在社會時鐘下以較年長的歲數才創下一番成就的人比比皆是。Gordon Moore 於三十九歲才創立英特爾公司（Intel）、小平浪平於三十五歲創立日立公司（Hitachi），而我們熟悉的馬雲更是於三十五歲之齡才由一名教師變成創立亞里巴巴公司的企業家。「教書的就應該繼續教書，又不是十來二十歲，都差不多四十歲了才

活得真累

去創業，瘋了嗎？」筆者相信這句話應該就是馬雲當年最常聽到的吧？

我們都知道一個成語「大器晚成」，很多成就都必須經歷時間醞釀，並不能由社會時鐘控制。

一個美國人在一八九〇年於美國印第安納州出生，他的家境並不富裕，加上父親早逝，他在中學一年級時便要放棄學業外出工作幫補家計。生活對他來說可以算是並不太過穩定。他做過許多工作，包括消防員、銷售員，甚至軍人。不斷輪換的工作令他在生命的歷程中浮浮沉沉，並無方向。他四十歲的那一年，機緣巧合下，他在肯塔基地區用他平常熱愛的活動——烹調雞肉——去為別人服務，雞肉的烹調經過不斷改良，慢慢地吸引到越來越多人來品嚐。一九三五年，美國肯塔基州長更因為他出色的餐飲事業而向他頒授「榮譽上校」的稱號。時至今日，他的炸雞料理遍及全球，廣受每個人的喜愛，這位美國人就是肯德基家鄉雞的創始人哈蘭德桑德斯，他的故事正是始於四十歲。

一個中國人出生於晚清時代的一八六四年，那是一個充滿戰亂紛擾的年代。他自小就很多病痛，十四歲開始學習各種藝術創作，例如雕刻及繪畫。一路以來成就都是平平無奇，到了四十歲的初段還在中國各地遊歷以賣畫維生。在五十四歲之時還是寂寂無聞，後轉到北京發展，就在這個地方，他累積長久的努力而創作出的作品開始受人重視，在他五十九歲之年，他的作品開始在外國展出，蜚聲畫壇。這個中國人就是當代中國著名畫家齊白石，而他的故事，始於五十四歲時的北京之行。

　　相似的人生經歷還發生在許多現今鼎鼎大名的大人物身上，日清食品創辦人安藤百福、麥當勞創辦人 Ray Kroc、「漫威」（Marvel）的 Stan Lee 等。這些人之所以能改變世界，其中一個原因就是他們勇於追尋自己的人生路，向社會時鐘說不、向「外在世界」作出持續的反抗。而他們所有的願景、對事物的熱愛、對信念的堅持，全都由自己的「內在世界」而生。而你，也可以是其中一個。只要我們知道人生追求的重點是什麼，我們便去認真追求，那些因為年歲而來的社會期望，其實對作出決策並沒有什麼參考價值。歲數不應是你「應該做什麼」的指標，你內心的目標及渴求才是唯一指導你行動的泉源。社會時鐘只是「外在世界」施加於我們身上的無形壓力。緊記，我們的生命應該獨立於「外在世界」，因為只有你過的生活是符合自己的渴求時，你過的生活對你來說才是有意義，才是幸福的。

　　每個人都有自己的生命節奏及軌跡，有的人會跑得比較快，有的人會暫時落後。但是只要你繼續披荊斬棘努力前進，最終你也會到達目的地。不必介意走得快或慢，走得快當然好，但走得慢不是更能細味沿途的風景嗎？只要你心有所想，外圍世界無論怎樣變都不要緊；只要你心夠定，你總能開拓出自己的人生道路。

　　別人想你做的事是別人的事，你自己想做的才是你自己的事。

　　當你因為不能達成別人的期望而令別人失望的話，這種失望也是別人要自己處理的事，你不需要承擔這種失望。

我們人生中很多的失敗是由於我們參與了別人要我們做的事。
而大部分我們人生中的成功是因為
我們參與了自己想要做的事。
我們輸多勝少是因為我們往往都跑在別人的跑道上，
而不是我們自己的跑道。

Most of our failures are in races for which others enter us.
Most of our successes come from races
we ourselves want to enter.
We fail to win most races because
we enter too many of the wrong ones: their races, not ours.

Richard Koch in "*The 80/20 Principle*"

不要只管做著別人眼中的天使，
要做你自己的天使

　　澳洲女哲學家 Kate Manne 形容一類人為「Human Givers」（其實跟俗語的「爛好人」差不多意思），意思就是這一類人的生活重心都是傾向在別人身上，他們過分樂於為了別人付出自己的時間、專注力、感情及體力。乍看之下似乎沒有什麼問題，為了別人去付出不是美德嗎？問題就在「美德」這個詞語。的確，為別人付出是美德，但如果這種「美德」是要用來顯示你的價值，顯示自己有多好的話，這種「美德」就成為每個人的枷鎖，因為你又再一次把能量的重心放在別人身上，放在「外在世界」上，而不是自己身上，不是「內在世界」上；你又再一次從別人的評價來獲得自己的存在感及價值；你又再一次忽略了自己，把專注力全都放在別人身上。

　　「Human Givers」往往有沉重的道德責任感來展現自己的「美好」及「光芒」去照耀他人、照耀這個世界。「Human Givers」因為要做的事太多，要向別人展露的美好一面也太多，所以他們必須每一天都是美麗、快樂、正向、冷靜、慷慨、對別人的需求充滿同理心的；他們不能有負面情緒、不能有惱怒、不能悲天憫人、不能表現得自我、不能對別人的需求視而不見，最不能的就是把重心放於自己身上去瞭解自己究竟需要的是什麼。他們背負的情感及道德包袱太多，有些時候，甚至忘記了自己也是一個有血有肉的人，也可以任性一下、自私一下，可以多照顧自己的需求。「Human Givers」樂於忽略自己，全心讓別人舒服

及快樂，其中一個目的就是——他們能從這個模式中肯定自己的價值。

　　每個人都渴求「被需要」的感覺，這是人和人之間的一種羈絆，「被需要」會令自己覺得有自我價值。筆者在大專院校從事教育及研究的工作，如果你去問真正喜歡做教育的人，教育有什麼地方那麼吸引的話，十之八九都會跟你說：「因為教育能啟發他人，很有滿足感。」這種「滿足感」其實就是那種「被需要」的感覺帶來的。學生需要你的人生發展建議、你的書本知識上的學術建議。在學生面前，教師就是一個教練、一個師傅，一個常常「被需要」的角色。這種「被需要」的感覺很多時候會讓你有一種高高在上、這份工作「真有意義」的感覺。但正常心理健康的教師不會把這種「被需要」的感覺當成證實自我價值的唯一條件，因為一個人的價值根本不需要從別人需不需要你去彰顯。在筆者眼中，這種想法是本末倒置。

　　並不是因為你不斷去服務他人，令自己有「被需要」的感覺，所以你才覺得自己有價值。

　　而是你知道你的價值足以服務他人，別人因為你的服務而展露的微笑，能再度加強本來就存在於「內在世界」的價值。

　　「Human Givers」在戀愛關係中十分常見，尤其在某些溫文爾雅、舉止斯文、思想細膩的男女身上。事實上他們在處理衝突或矛盾時，幾乎沒有太強的溝通能力，因為他們只會以「遷就」去解決問題。他們認為只要遷就對方，對方就會感到被愛，這樣

自己就永遠顯得是在關係中努力付出的一方，獲得很多的成功感及自我價值感。誰知道，在不斷壓抑自己的情緒、只管遷就他人的情況下，即使對方不是得寸進尺之人，自己所累積的負面情緒都總會有一天爆發，爆發完後便一走了之，然後說：「我已經盡了我所有的力量去愛你，我無悔。」其實他們只是盡了全力去用「付出」這個動詞，去令別人感到被愛而獲得和證明自己的價值。與其說他們盡了力去愛，不如說他們盡了力去證明自己是一個天使——別人眼中的天使。這不是一種利他（altruistic）的愛，這只是一個最終依靠別人去利己（egoistic）的愛。

「Human Giver」這種症候群長期下去會吞噬一個人的幸福感，因為它會令一個人在情緒上感到十分怠倦。「Human Givers」無論做任何事都只顧著別人的感受，在乎別人喜歡或不喜歡，就像迷失了在一個死胡同裡。

每個人都是自己的天使，你不需要成為別人的天使，你也不需要別人成為你的天使。

每個人在世上都是一個獨立個體，都有各自的生命軌跡，有各自的生命任務要去完成。我們用良好的品格、關懷他人的心去服務社會及他人。但是不要把別人對你的感謝當作是自己有價值的證據，因為從你一開始去作出利他行為時，你的價值已經存在，別人的反應是好是壞並不會改變你本身的價值。想像你的價值就是你的肉身，而你的肉身正被一層堅實的盔甲保護著，無論外面的人用什麼方法，他們根本不會碰到你的肉身。你的肉身是恆久不變的，就像你自身的價值，也是恆久不變的。

自身的價值不是由你當別人的天使而來，而是由你開始當自己的天使那天而來。如何當自己的天使？努力去讓自己在各方面都進步，無論在外表、頭腦、知識、待人接物、經濟能力上，設法用各種實際行動去令自己進步，例如閱讀、報讀不同的課程、和志同道合的朋友多交流等。你的生命中只需要和自己搏鬥，和去年的自己搏鬥，和上個月的自己搏鬥，和昨天的自己搏鬥。用你對自己的生命熱誠，去令自己成為自己的最佳版本，這樣你就是自己的天使。別人的期望是什麼，於這個過程裡是無法摻和的。因為當你成為自己的天使時，你那套盔甲早已穩穩地穿在身上。

好人要做，但有時候，你需要自私一點，向別人說不。

而你又穿上那套盔甲了嗎？

 延伸閱讀

Todorov, A. (2008). Reading trustworthiness in faces without recognizing faces. *Cognitive Psychology, 25*(3), 395-410.

Todorov, A., Pakrashi, M., Oosterhof, N. N. (2009). Evaluating faces on trustworthiness after minimal time exposure. *Social Cognition, 27*(6), 813-833.

我沒有任何責任去過別人期望我過的生活。
這不是我的過錯，而是每個人本來就不應該
要求任何一個人跟著自己的願望來生活。

*I have no responsibility to live up to what others
expect of me. That's their mistake, not my failing.*

Richard Feynman

*I'm not in this world to live up to your expectations
and you're not in this world to live up to mine.*

Bruce Lee（李小龍）

幸福，
需要你從內心出發去尋找，
而不是由外在世界給予你。

第五章

● ● ●

那我應該將專注力放回
內在世界嗎？
這樣我就能多一點幸福嗎？

　　這個部分的首兩章，筆者希望大家少一點比較，也不要理會太多別人對你的期望，因為每個人其實最終都要為自己過得幸福與否負責任。聽起來好像筆者在奉勸大家要自私一點，其實在道德上這也非十惡不赦的事，如果你連自己都還沒有照顧好，還去談什麼利他行為幫助別人呢？只有當你活得沒有那麼累，身心健康時，你才有條件去把你的影響力散播於他人，這樣去幫助人才是有能量的。

從自我決定理論（Self-Determination Theory）得到啟示

談到筆者最喜歡的一個心理學理論，自我決定理論（Self-Determination Theory, SDT）實屬第一位。自我決定理論是一個自一九七一年起發展了大約五十年的動機理論（motivation theory）。這套動機理論無論在研究領域的影響力及實際生活上的應用範圍都極其巨大。時至今日，這套理論還吸引著全球許多心理科學家去作學術研究，一篇又一篇關於此理論的學術論文仍然持續刊登在各本國際學術期刊中。自我決定理論中，最出名的學者當數 Edward Deci 和 Richard Ryan，他們在二○○○年聯名刊登的一份關於自我決定理論的學術論文迄今被同行評審（peer review）學術論文引用次數已達至少三萬零二十九次。意思就是說，自二○○○年那篇文章刊登以來，二十一年來已被三萬零二十九份經刊登的學術文章引用，即平均每年一千四百二十九份、每月一百一十九份、每日大約四份。由此可見，自我決定理論的影響力實為驚人。

那麼到底什麼是自我決定理論？它又如何和本部分的重點——「外在世界」VS.「內在世界」——連結在一起？筆者首先要從一九七一年一個非常經典的動機實驗開始說起。

活得真累

一個經典的動機實驗

　　首先要說一下在一九七一年那個年代的心理學發展歷史。在二十世紀首五十年中，行為學派（behaviorism）可算是其中一個影響力最大的心理學思想流派。行為學派的思想重心在於研究人類行為及思想應當像研究一部機器一樣，因為當時行為學派心理學家相信人類大腦中發生的所有認知進程，包括情感、思想、決策等都是不能被客觀描述及量度的，所以這些東西都應當全被忽略，就當作一個黑盒（black box model），黑盒裡面發生了什麼都不需要理會。理解人類行為及思想，只需要理解施加於這個機器（人類）的刺激物（input），以及由於這個刺激物而產生的反應（output）的關係就可以了。行為學派於是以一種非常冷冰冰的角度去看待人類本質。例如，這種思想流派的學者會認為一個人的成長全關乎於外在環境的訓練，也就是不論誰人，只要有適當的環境及訓練，他們都能被塑造出各種指定特質，當上你希望他從事的職業，至於他的性格傾向並沒有什麼重要性；嬰兒和媽媽之間依附（attachment）的性質並不是關乎於愛這種虛無縹緲的東西，而是由於媽媽提供食物這種具有獎勵性（rewarding）的刺激物而建立的。

　　在那個時代，關於動機的本質都是一些行為學派的解釋。例如在行為學派的操作制約理論（instrumental conditioning theory）中，人類做一種行為與否的動機取決於做出那個行為後得到的結果。如果做出該行為後能獲得好的結果，那麼下次再做出該行為的動機便會加強（此過程學名為 reinforcement）。例

如當一個學生努力讀書取得好成績，然後得到父母及老師的獎勵的話，那麼根據理論，這名學生便會更有動機去努力讀書；反之，當一個行動得到的是壞結果時，繼續做這個行為的動機便會下降。例如當你不遵守交通規則而被罰款的話（此過程學名為punishment），下次你就會更小心，不再犯這個錯誤。根據操作制約理論，我們很容易理解到何謂「有錢使得鬼推磨」，因為金錢這種獎勵能提高人們工作的動機。用金錢利誘，或作為獎勵刺激工作動機，這個方法在各行各業都在使用。然而，金錢真的這般萬能嗎？

一九七一年 Edward Deci 做了一個十分經典的實驗，探討物質獎勵（materialistic incentives）是否在各種情況下都可以提升一個人的動機，不論這個動機是發自內心，或是因為獎勵而去做。這個實驗分為三個階段進行。在第一階段，Edward Deci 首先要求實驗參加者玩一個智力解難積木遊戲——索馬立方（Soma cube）。參加者玩完之後都表示這個遊戲很好玩很有趣，他們很享受這個過程，也就是說，他們去玩這個遊戲的動機是來自內部世界的，是一種內在動機。在第二階段，Edward Deci 把這些在內心酷愛這個遊戲的實驗參加者分為兩組，第一組的參加者像之前一樣，不受任何干擾地繼續去玩他們喜歡的索馬立方；第二組的參加者卻不一樣，每次他們成功解開積木難題後，都會得到數美元的金錢獎勵。這個實驗最重要的是在第三個階段，稱為自由選擇階段（free choice period）。在這個階段中，實驗室人員會佯裝有事離開實驗室一段時間，他們會對留在實驗室的實驗參加者說，他們可以選擇做他們喜歡的事，例如繼續玩積木解難遊戲，或者做任何其他事情。實驗室人員離開後，他們會暗中觀察實驗

參加者在他們離開後的行為，結果發現，那些得不到金錢獎勵的參加者會較傾向繼續去做他們喜歡的活動——索馬立方；至於那些在前一階段因為成功完成解難任務而得到金錢獎勵的參加者，則較傾向停止遊玩索馬立方而轉做其他事情。更有趣的是，那些獲得金錢獎勵的參加者，解決索馬立方難題的質素比沒有得到金錢獎勵的參加者來得低。

當然，這個實驗發表以來的五十年間，有更多的論述去豐富這個實驗的理論基礎，但是這個實驗的突破性在於它直接指出，獎勵有時候不會提高一個人去做某事的動機，反而有可能吞噬一個人由內在散發出來的動機。在理論上，它也提出一個證據，直接說明行為學派下的操作制約理論的預測並不一定準確。

外在世界的誘因，例如金錢，並不一定令我們充滿動機。說明的正正就是當我們只顧著外在世界時，我們的內心會被忽略。名利會反噬初心，就是這個意思。

自我決定理論關於動機性質的描述及對我們追求人生目標的啟發

正如上述，自我決定理論是一個宏大的動機性質理論。從傳統心理學理論來說，動機性質可以分為兩大類型，分別為外在動機（extrinsic motivation）和內在動機（intrinsic motivation）。外在動機就是某人去做某件事，是為了來自外在世界的誘因或獎勵，這些外在世界的刺激物可以是金錢、名利、地位、權力等，

我們經常說的「做事為名為利」就是一個外在動機的例子；而內在動機則是某人去做某件事是基於很純粹的內在原因，它們往往都是很純粹的快樂、歡愉和享受。例如一個藝術工作者被問：「你為什麼那麼喜歡做雕塑品？在這個時代搞藝術掙不到錢養活家人啊。」他說：「沒有啊，我做雕塑品不是為了什麼，不為金錢也不為取得成就，純粹就是喜歡及享受那個過程。」

　　內在動機就像完全發自內心的動力，它推動了你的行動，由於是完全發自內心，它無懼於外在世界的變化。如果我們說內在動機是沉穩的話，那麼外在動機則是浮躁的。外在動機是由不斷變化的外在世界牽引，由於外在環境總是多變的，因此難免令人感到焦躁不安。例如一個人讀書或學習是為了考試拿第一名，希望藉此獲得別人的尊敬的話，那麼升讀大學以後，當學生不會被排名次，他便失去了讀書學習的動力。又例如一個人努力工作純粹為了認識心儀對象，努力工作是為了給她留下深刻印象的話，當那位同事離職後，他又會變回以前那個散漫的自己。筆者不是完全否定來自外在世界的獎勵對於提升動機的能力，而是當我們只為了外在世界的因素去做某種行為時，你已經成為了別人的傀儡，你將不能得到內心的平靜。

　　無論世界怎變，你的內心始終都不會變。這就是內在動機的威力。

　　以上是傳統上心理學家對動機性質的描述，但是否只有如此兩極化的狀態呢？例如一個努力工作的人，他賺到了很多錢，但

他努力工作不完全只為了錢，而是為了一份滿足感，豐厚的收入增強了這份滿足感，也代表了自己的身份認同感，這種滿足感推動著他一天比一天更努力工作。像他這種動機，是純粹內在的，還是純粹外在的？答案是兩者皆有，而自我決定理論其中一個最大的貢獻就是建立了一個關於描述動機性質的系統。

自我決定理論以動機的自我決定調節（self-determined regulation）程度去劃分不同的動機。自我決定調節即是來自個人「內在世界」的調節。就像右圖所示，動機的性質就像是一個連續體（continuum）。最左方的是失去及沒有動機（amotivation），也就是對事物毫無興趣，連一絲想去試做一下的動機都沒有。

而有一種動機純粹基於外部調節（external regulation），例如為了一些實質獎勵（contingent reward）及逃避懲罰（punishment avoidance）去做某一些行為。舉一個十分常見的例子，若然一個人工作只為了每個月的薪水，而工作過程中只顧著如何避免犯錯，少做少錯的話，這樣工作的動機就是完全由外部世界調節的，你可以想像一下，以這種動機工作的人，他的生活是絕對沒有朝氣也尋找不了太多的意義。有時候我們在獲得薪水及避免犯錯的基礎上，都會希望工作能得到別人的肯定，從而獲得更高的社會地位及自尊感，而且可以避免因為不努力工作而產生的罪疚感，這種動機稱為內投調節動機（introjected regulation）。它不像外部調節動機那般百分之百完全為了外在獎勵，但內投調節動機在本質上也是傾向於向外部世界靠攏，因為追求的是別人的讚許及認可。

　　筆者在學術文章中曾看過一個生動有趣的形容，內投調節中的英文名詞「introjected」有被注射的意思，就好像你到醫院打新冠肺炎疫苗一樣，那抵抗力是由外部世界施加在你身上，而不是由你的身體中發展出來的。在自我決定理論下，外部調節動機及內投調節動機都屬於傳統意義上的外在動機，而它們同樣是受控制動機（controlled motivation），指的是一個人的動機並不是發自內心的，而是被外部世界干擾甚至控制的。

沒有動機 no motivation	受控制動機 controlled motivation （less self-determined/ internalized）		自主動機 autonomous motivation （more self-determined/internalized）		
去動機 amotivation	外在動機 extrinsic motivation				內在動機 intrinsic motivation
不含調節 non-regulation	外部 調節動機 external regulation	內投 調節動機 introjected regulation	認同 調節動機 identified regulation	整合 調節動機 integrated regulation	純內在 調節動機 intrinsic regulation

　　除了受控制動機外，另一個類型就是自主動機（autonomous motivation）。就如上圖表示，自主動機也有三種，分別是認同調節動機（identified regulation）、整合調節動機（integrated regulation），以及傳統意義上的內在動機（intrinsic motivation）。其中認同調節動機及整合調節動機也是一種外在動機，只不過基於外在世界的動機已被內化於身份系統內

（internalization），成為內在世界的一部分，所以這兩種動機也可稱為內化外在動機（internalized extrinsic motivation）。

在三種自主動機中，自我決定調節水平最高的當然就是傳統意義上的內在動機——「我做這個純粹為了享受及快樂。」

第二高是整合調節動機——「我做這個工作是因為覺得它很有意義，我能因此得到很多東西，例如快樂、金錢、滿足感、人生意義等，而這一切一切都成為了我生命的一部分，它是我的人生使命及代表著我這個人的身份認同。」

第三高是認同調節動機——「我去做這個工作的原因是我覺得它很有意義，我能因此得到很多東西，例如快樂、金錢、滿足感、人生意義等，但如果說是我的人生使命及代表著我的身份的話，那就有點過頭了。」

那麼知道這些動機性質的知識能為我們帶來什麼樣的啟發呢？其實我們都知道，隨著年歲漸大，我們的計算會越來越多，一種純粹的內在動機幾乎已不復存在。做一件事純粹只為享受、快樂當然非常好，也可以讓人非常幸福，那是一種赤子之心。這種動機在孩童時期的我們十分常見，那時候的我們不必思考太多做某件事是否有利於自己的發展，我們十分直接，喜歡的就常去做。但當人長大了，很多時候我們決定是否去做某事，某程度上都是因為它能為我們帶來某方面的利益，例如是外在的金錢、名聲及地位，也可以是內在的快樂及滿足感。在自我決定理論中，

這兩種利益是可以並存的，關係在於「內化」兩字，你能否將一些外在的動機內化成你生命中的一部分？如果可以內化的話，那麼本來是外在的動機就會漸漸能夠自我調節，變得更自主。只要動機是由內至外，那麼你便能享受動機帶來的能量；若然你是被外在世界的動機制衡著的話，那麼你便處處受控，潛能無法展開，就像一隻被綁著的雄鷹，不能振翅高飛。

無論你追求的是什麼，只要能內化成自己身份的一部分，並完全由你自己選擇去做的，而不是被迫或因為外在世界的期望而去做的話，那麼你就能獲得無盡的力量勇往直前。

什麼是內化？這很抽象

內化這個概念的確是很抽象，在這裡筆者或許需要用更多內容來解說。內化是一個十分傳統的心理學名詞，意思就是一個不經意識、潛移默化地將一些從外界獲得的概念、感受、態度及價值觀移至（assimilate）自己的自我身份及價值系統的一部分。最容易理解的內化例子就是我們從小接受父母的道德教育。生命之初，我們的道德價值系統有如一張白紙，父母從我們懂性開始，就會不斷以言教及身教去訓練我們，讓我們知道什麼在這個社會是被允許的，什麼是不被允許的。這些道德價值觀念隨著時間過去，就會慢慢烙印到我們的價值系統中，這個過程就是內化。而隨著一個人進入學校系統和社會，所接觸的事及人不再只限於家庭成員，學校的老師及同學、社會中的同工及朋友，每個人都會

灌輸很多觀念給一個人，價值系統隨著時間也會不斷迎入新的概念，所以內化的過程是會不斷更新的。從這個觀點上，我們也能略略瞭解為什麼一個人會變，就像本書的第一部分所說，改變是一個人永恆不變的本質。

　　再舉一個關於筆者的例子，因為筆者深深感受到如能把動機內化，所帶來的力量有多巨大。筆者是心理學哲學博士訓練出身，究竟哲學博士是幹什麼的？哲學博士其實是用作培訓科學研究人才的課程，所有哲學博士畢業後都會被預期進入大專院校從事教育及研究工作，當中以研究為主，教育為次。在博士訓練中，筆者對學術研究的熱情其實不大，或許是內心比較浮躁，或許是研究題目不是太合心意，研究對我來說只是一種外在世界的責任，這種動機就像上述的受控制動機（controlled motivation），更準確來說，是一種內投調節動機，只是為了在外在世界獲得名聲及避免罪疚感而苦苦堅持。以這種動機工作，當然不享受，質素也不好，可以說是又苦又累又沒成果。直至二〇二〇年初期，經過數年的心理重建，以及透過大量閱讀，獲取了很多人的思想及啟發，筆者的心結終於解開，學術研究現在對筆者來說絕對不只是一種責任，除了選擇了一個筆者認為有意義的終生研究方向外，研究成就代表著我的人生使命，代表著我的身份價值。這種動機當然不是純粹的內在動機，因為在研究工作中筆者絕不只有享受，還伴隨著許多痛苦，而筆者做研究工作也是為了個人成就，所以學術研究現在對筆者來說反而是一種整合調節動機，也是一種自主動機。當動機的性質變化後，筆者現在自願地用了更多時間去投入研究，在挫敗滿滿的過程中感受到每天都是學習的

機會，感受到個人成長，也更享受過程。

當你的動機性質一變，你身邊的世界也會跟著改變。

看書可以幫自己將動機內化？

廣泛閱讀絕對是一個好方法。從心理學的角度上，是否能把動機內化，關鍵在能否滿足到三個基本心理需求。

根據自我決定理論，動機能否內化視乎三個基本心理需求（basic psychological needs）能否得到滿足。基本心理需求理論（Basic Psychological Needs Theory, BPNT）是自我決定理論底下的六個小理論（six mini theories）其中之一。受到 Abraham Maslow 的需求理論啟發，自我決定理論學者努力做了很多實證研究去分辨人類在心理上最基本的需求是什麼。透過眾多統計分析，學者發現基本的心理需求包括自主（autonomy）、才幹發展（competence，包括知識及技術），以及良好的人際關係（relatedness）。

自主即代表個人選擇權，你的抉擇基於自己的思想（self-volition），還是受制於別人和外在世界？你的工作若然只為了滿足別人的命令，那麼自主這個需求便不能滿足。不能自主作出的行為當然是受控制的動機，即不能被內化；才幹也就是自身知識及技術的不斷進步。我們本來就有學習新事物的動機，若然你做一種工作能令你經常學習到新事物的話，那麼你當然會更投入

那份工作，更享受工作中的過程，而工作對你來說也是非常有趣的，你的動機也會更發自內心；至於人際關係就更加顯而易見，如果一種工作能為你帶來很好、很融洽的人際關係，你當然更享受在這種環境下工作。試問又有誰喜歡在眾人勾心鬥角的狀態下工作呢？若一個人工作的環境能滿足自主、才幹發展，以及良好人際關係這三個基本心理需求的話，他由於很享受工作的過程，所以動機的性質更能從外在世界移進內在世界，也就是上述所說，更容易將動機內化。

動機被內化後，讓你不再害怕星期一。內化動機是由內至外（inside out）的一種力量，是內在世界戰勝外在世界的結果。

如何能讓自己更容易把動機內化？首先，我們必須有意識去讓自己更貼近自主、才幹發展、良好的人際關係這三個基本心理需求。很多時候，我們沒辦法改變自己是因為沒有意識到問題癥結所在，不能找出問題的重點，又怎能解決問題呢？而這裡說的三個基本心理需求，就是一條鑰匙；當你找到這條鑰匙後，去打開那道門的最後一個動作就得靠自己完成。這是意識到問題的存在，以及意識到解決問題的方法的過程。當有了這個意識後，我們便需要著手去處理如何令自己更容易把這條鑰匙放進鑰匙孔裡。我們需要自己創造一個環境以便更容易獲得這三個基本心理需求。如何創造？首先要問自己幾個問題：

1. 你現在工作是為了自己的目標？還是為了迎合別人的期望和目標？

2. 你現在工作的環境能讓你持續不斷地獲得新挑戰、新技術、新知識嗎？還是日復一日、年復一年地做著週期性和相類似的事情，而你早已把能學的東西都學完了？

3. 你工作環境中的人是怎樣的？是總愛談八卦、批評他人、散散漫漫？還是能和你建立良好關係，互相鼓勵大家努力成長的人？

　　除非我們甘願維持現狀，不然在一個不能令自己滿足心理需求的工作環境下是比較難去令我們內化動機的。在為了別人的期望、不能學習新知識、同伴缺乏能量的環境下做任何事情，都不能令自己享受其中。我們要創造一個環境，令自己更容易內化動機，例如轉到另一間公司上班，主管是有遠見的人，尊重每名下屬的自主性，提供很多學習機會，同儕們也是十分目標導向並有幹勁，沒有流言蜚語，這是一個十分理想的工作環境。

　　除了要改變環境，自己也要改變，自主、才幹發展及建立良好的人際關係這三個因素不是只有外界才能賦予我們的，也要大家主動爭取才能成事。這也是本部分的中心思想，我們的內在世界必須大於外在世界，自己不做任何東西去等待「運氣」，「運氣」永遠也不會到來。其實「運氣」可以由自己創造出來的。上一段筆者說我們要去改變環境，就是你創造「運氣」的行動。什麼是「運氣」？撇除那些天降橫財的運氣，「運氣」就是一個機會，而機會只有當你配得上擁有它時才會出現。也就是說，一個機會的高度必須跟你自身的高度相匹配，說到這裡，筆者想起著名投資者巴

菲特的工作伙伴查理蒙格（Charlie Munger）的一句名言：「想得到你想要的某樣東西，最可靠的辦法就是讓自己配得上它。」（The safest way to get what you want is to try and deserve what you want.）

我們可以學習多問自己為什麼，去瞭解自己對於各種事情的真實想法，搞清楚自己為何想做這件事，或為何不想做那件事。這種與自己對話的過程有助你更清楚自己的內在世界。經過沉思後而產生的動機便是來自內在世界的動機，是一種自主動機，這是自主的本質。

自主，就是由你自己來決定自己要做什麼、不要做什麼。

我們可以自己去尋找增加才幹的機會。怎樣做呢？最簡單的莫過於恆常閱讀，現今社會非常忙碌，資訊爆炸，我們每分每秒都被電子訊息轟炸。很多人均以「沒有時間」作為藉口，不重視對個人發展的「投資」，例如閱讀。恆常閱讀能擴闊思維界限，汲取作家們的知識、體驗及技術，這些都會給我們帶來源源不絕的洞察及啟發，是一種在思維上汲取才幹的過程。世界上大部分成功人士無不以閱讀作為每天必須要做的事情，為何我們卻總是「沒有時間」去閱讀呢？閱讀不需多，一天三十分鐘足夠有餘，長期閱讀，一兩年後每個人都一定會有脫胎換骨的變化。

除了閱讀，今天有很多網上課程平台可以讓我們隨時更新知識，甚至為轉換跑道鋪路。例如 EdX 及 Coursera 等平台的課程，

甚至是由知名大學主理，收費也不是太昂貴。大家能用數萬元去買一個名牌產品，何不也花一點錢去投資自己的內心修為及腦袋呢？我們常說現今社會中知識是便宜的，這點沒錯，因為大多的知識今天都能從網絡世界上免費獲得。但是，既然知識那麼「便宜」，我們不是更加應該「趁低吸納」嗎？筆者有一位朋友在香港讀完心理學學士課程後去美國某名牌大學法學院進修，但她之後卻不是做律師，而是成為了一個人工智能軟體工程師，而她能這樣去轉換跑道的原因正正就是她在 Coursera 中修讀了數個人工智能的課程。

才幹，就是由你自己去尋找、去汲取、去練習、去掌握。在這個過程中，「別人」是不存在的，「外在世界」也是不存在的。

至於建立人際關係，更是每個人都可以從內在世界出發去改變及鍛煉的領域。每個人都可以選擇去交什麼朋友、不交什麼朋友。「物以類聚，人以群分」、「近朱者赤，近墨者黑」這十六個字道出了身邊的朋友是誰，對每個人的個人成長有多重要。我們努力去建立良好的人際網絡，但努力只應放在某些人際關係上。社會上有一部分人基於別人及外在世界的批判，而將努力及付出平均地放在各種人際關係上，無論是健康的或者是不健康的。健康的人際關係使每個人獲得能量、平和及快樂；但不健康的人際關係帶來的就只有煩惱，而且還徹底抵銷掉健康人際關係帶來的好處。我們應該將努力集中於健康良好的人際關係上，而那些不健康的人際關係應避免付出太多努力，甚至要漸漸疏遠。

良好的人際關係，是一種能為自己帶來能量及進步的關係，而不是只顧迎合別人的期望而乞求回來的關係。

凡是外在世界的東西，長期下去都會破壞我們的心理幸福感

第二部分的重點是外在世界和內在世界，凡是發自內在世界的能量，都是恆久並驚人的；凡是基於外在世界牽動的能量，都是被動及短暫的。自主動機能使人工作得更開心，而當三個基本心理需求被滿足後，動機便能變得由內而外。更重要的是，發自內心的動機、滿足內心基本心理需求的狀態，能提升我們的心理幸福感（psychological well-being）。

心理幸福感是一個複雜的概念，而它的定義亦不勝枚舉。如果大家有看過《改變人生的正向心理學——尋找快樂，追求夢想》，應該知道總體來說，幸福感可以分為享樂主義的幸福（hedonic well-being）和追求人生意義類的幸福（eudaimonic well-being）。享樂主義類的幸福重點在生活滿足感（life satisfaction），例如你對自己的生活模式（lifestyle）是否滿意，這涉及你的物質享受、社會地位等各種生活方面的滿意度；還有你是否有較多正面的情緒（positive affect）和較少負面情緒（negative affect）。至於人生意義類的幸福則主要視乎你有否自主（autonomy）、良好人際關係（positive relations with others）、人生目標（purpose in life）、對身邊事物的掌控力（environmental mastery）、自我接受（self-acceptance）和

自我成長（personal growth）。一個追求理想的人在生活中未必只顧著享樂，追求理想的生命也充滿著負面情緒，但能追求理想的人，也是幸福的。隨著正向心理學的發展，對於幸福感的科學定義也漸漸成熟。例如近年正向心理科學家提出一些更新、更全面的心理建構去定義心理幸福感，這些新的心理建構包括心盛（flourishing）和茁壯（thriving）等。

現今心理科學界有大量研究結果表明當一個人的內在世界得到滿足時，例如滿足到三個基本心理需求（包括自主、才幹發展和人際關係），他的心理幸福感會得以提高。相反，若一個人不能滿足內在世界，只被外在世界拉扯著的話，他的心理幸福感將會受到威脅。以下筆者將以一個都市人最常見的心理建構——物質主義或物慾（materialism）去作一些論述。

物質主義和心理幸福感有什麼關係呢？
物質不是能提高一個人的幸福感嗎？

　　物質享受在現今生活是必需的元素。舉個簡單例子，如果你能擁有較多金錢，那的確能幫你解決掉生活上很多問題，例如房屋、醫療服務、法律糾紛等。俗語有云：「能用錢解決的問題都不是問題。」恰恰生活上很多煩惱都能用金錢解決，所以金錢某程度上能幫助我們排難解憂。而金錢也能帶來很多的物質享受，例如品嚐環球美食、到世界各地渡假、用以換取很多服務等。如果有人說，金錢只有惡的話，那是說不過去的。心理學研究也指出，金錢的多寡某程度上和一個人享樂主義類的幸福感有正面關係，因為金錢在某程度上能為一個人得到更好的生活滿意度。

　　但要注意的是，這個正向關係有一個頂點，當金錢去到某一個程度時——大約年薪七萬五千美金（即大約年薪六十萬港元，平均月入五萬元），之後再多的金錢都不能提高情緒上的心理幸福感。我們可以這樣去想，當你擁有的金錢本來就已經很多時，再多的金錢帶來的邊際功用（marginal utility）就不會那麼顯著。例如你本來的月薪為港幣兩萬元，但當月薪增至五萬元時，這三萬元差額可以提升你的生活享受和模式，例如多光顧高級餐廳、購買更多的投資或保險產品，改善你的生活質素。但試想想，當你的月薪是一百萬時，即使增加到一百二十萬，二十萬的差額雖然

仍然能令你提高生活質素，但在心理及情緒上的邊際功用已不及上述的三萬元那麼大。月薪一百萬的你，很多物質享受都滿足了吧，即使每月多了二十萬，你的消費模式大概也不會有很大差別。

另外，當你有了更多的錢，你的消費更多，你要管理的東西又會更多。例如你因為富裕了所以多請幾個鐘點工人、多買幾家公司的股票，甚至因為經濟上許可而多生幾個孩子，或自己開始去創業等，這些因為多出的金錢而衍生的額外生活責任，會令一個人活得沒那麼自在，並抵銷了部分由金錢帶來的幸福感。金錢和幸福感的關係十分微妙，過分追求金錢，它卻會反咬你一口，因為它來自外在世界，是物質主義的一部分。

影響力巨大的暢銷書《窮爸爸，富爸爸》作家清崎徹說過：「不要迷戀金錢，不要為金錢工作，要為學習工作、為知識工作。」（Don't be addicted to money. Work to learn. Don't work for money. Work for knowledge.）這句話和自我決定理論的核心思想是一致的。金錢是外在世界的一部分，純粹為了金錢工作，將被外在世界綁架，心理幸福感會受到威脅。為了學習和知識而工作，正正就是和三個基本心理需求中的才幹發展息息相關。理解並滿足自己的內心需求，當動機是由內向外時，無論做的事情有多難，你仍然會覺得很幸福。

正如上述，物質主義不止是和金錢掛鉤。在現今關於物質主義的心理建構中，它可以被定義為兩種類型，一種是價值觀（dispositional materialism），另一種是人生目標（life aspiration）。當我們將物質主義定義為一種個人價值觀時，它包含著三個層面。物質主義較高的人會將物質享受（materialistic possession），例如一個人的年薪、住屋、車輛、出入場所等和一個人是否成功（success）和快樂（happiness）掛鉤。追求物質享受也成為了高物質主義人士的生活重心（centrality）。

　　另一方面，如果把物質主義定義為一個人的個人生命目標的類型，那麼物質主義高的人的人生目標會聚焦於一些外在世界的元素，例如財富（wealth）、名聲（fame）和形象（image），他們會較忽視一些非物質、較為內心導向的人生目標，例如個人成長（personal growth）、社會貢獻（community contribution）和人際關係（relationship）。在量度一個人物質主義的程度時，心理學家都會運用經統計學分析驗證可靠度的量表（scale），例如量度在個人價值觀上的物質主義時，我們會用物質價值量表（material values scale）；當我們要測量一個人的人生目標是傾向於外在世界的動機或內在世界的動機時，我們就會用到人生目標量表（aspiration index）。

　　大量的科學研究數據指出，物質主義會降低一個人的心理幸福感。物質主義和心理幸福感之間的關係的研究在一九八〇年代中期由一群消費研究科學家（consumer researcher）和心理學家在美國開始。從早期的研究就發現，過高的物質主義會威脅各種方面，例如快樂、生活滿意度、自我實現程度（self-actualization），甚至會加劇一些病態症狀，例如抑鬱及焦

慮等。這些研究結果在這數十年來不斷被各種新的研究證實
(replicated)，從小至十歲的小孩到老至八十歲的老人家身上，又
或是來自西方和東方國家的人身上，物質主義和心理幸福感的負
相關關係 (negative correlation) 都是存在的，也就是說這個關係
基本上是全人類共通的。物質主義甚至會對自尊帶來壞影響，跟
病態購物行為也有關聯。那為什麼高物質主義會降低一個人的心
理幸福感呢？

　　相信讀到這裡的你，也會有一點點體會。物質主義者追求的
東西全是來自外在世界，例如財富、名聲、外表形象等，他們可
能要用這些東西去尋求別人的認同（別人也是外在世界的部分），
再用這些認同去支撐自己的自我價值觀。當我們一旦把專注力放
於外在世界時，我們就放棄了自己的內在世界。當內在世界被外
在世界戰勝的一刻，平靜的幸福就會慢慢離你而去。當把整個生
命的好壞和擁有多少物質享受掛鉤的時候，內在的三個基本心理
需求——自主、才幹發展、良好的人際關係都不能被真實滿足。
當一個人純粹為了物質而生活或工作時，所有的動機都被金錢牢
牢地鎖住，他要放棄許多本來喜歡的興趣、與朋友家人相處的時
光，因為他們需要更多的錢，所以將全部專注力都放在如何賺錢
方面。他們的世界被金錢控制，這還有什麼心理上的自主呢？

　　研究亦發現，知識及才幹的心理感知，和工作質素 (work
quality) 的關係較大。也就是說，當我們盡心盡力將一件事做到
極致時，所得到的知識及才幹發展的滿意度是最大的。這就是日

本人很推崇的「匠人精神」。筆者相信有接觸日本文化的人都瞭解他們對自己的工藝非常執著，無論做壽司、刀劍、陶瓷等，那些大師都只重質不重量，因為他們一生只做一件事，窮其一生，不為名不為利，一心一意將製成品的品質推至最高峰。試想一下，一個急功近利的人會怎樣？質素未必是最重要，完成產品的速度和數量（work quantity）才是首要考慮。在這過程中，他思考的全是外在世界的東西，例如如何賣得更多錢，這樣的話，他不能從內在世界享受整個進步的過程。良好的人際關係方面就更不用說了，物質主義使人將人際關係當成目標的工具，當成利用的踏腳石，這樣交往的朋友當然也不能為一個人帶來心靈上的滿足感。

此外，物質主義令心理幸福感減少也可從個人本質身上去解釋。部分人心理上缺乏安全感（sense of insecurity），想要透過追求外在世界的物質享受去填滿空蕩蕩的內心。本來就沒有內在心理安全感的人，他的幸福感也自然較低，所以幸福感和物質主義的負相關關係也是會在這一類人身上出現。內心的空洞令一個人更希望用外在世界的能量填滿內在世界，但越專注在外在世界，內在世界卻更容易被掏空。

我們身處在一個越來越物質化的世界，由於在認知決策上的簡易操作，很多人都會用你擁有多少物質享受來定義你的成功或地位，有沒有自置物業、有沒有車、月薪有多少、有多少投資資產等，這宛如已成為了社會一個遊戲規則、一個規範。但是無論這些遊戲規則是怎樣的，記住它們都是外在世界的事，別人怎樣玩遊戲是別人的事，不是你的事。自我不一定是壞事，如果你的

自我能頂住外在世界的侵擾，保持內心的平靜，享受當下，獲得幸福，那麼自我一點又何妨？

📖 **延伸閱讀**

Deci, E., & Ryan, R. (2000). The "what" and "why" of goal pursuits: Human needs and the self-determination of behavior. *Psychological Inquiry, 11*(4), 227-268.

Dittmar, H., Bond, R., Hurst, M., & Kasser, T. (2014). The relationship between materialism and personal well-being: A meta-analysis. *Journal of Personality and Social Psychology, 107* (5), 879-924.

Kasser, T. (2002). *The high price of materialism*. MIT Press.

Moldes, O., & Ku, L. (2020). Materialistic cues make us miserable: A meta-analysis of the experimental evidence for the effects of materialism on individual and societal well-being. *Psychology & Marketing*, 1-24.

做一些令你開心的事，
其他人的看法並不重要。

Do what makes you happy,
and don't care what others think.

Demi Lovato

將能量從外在世界轉到內在世界時，
就是你最幸福的時候。

假設你手上有一點燭光，試著將燭光注入你的內心，
注入你的內在世界；而不是將燭光移到別人身上，
或移到外在世界。

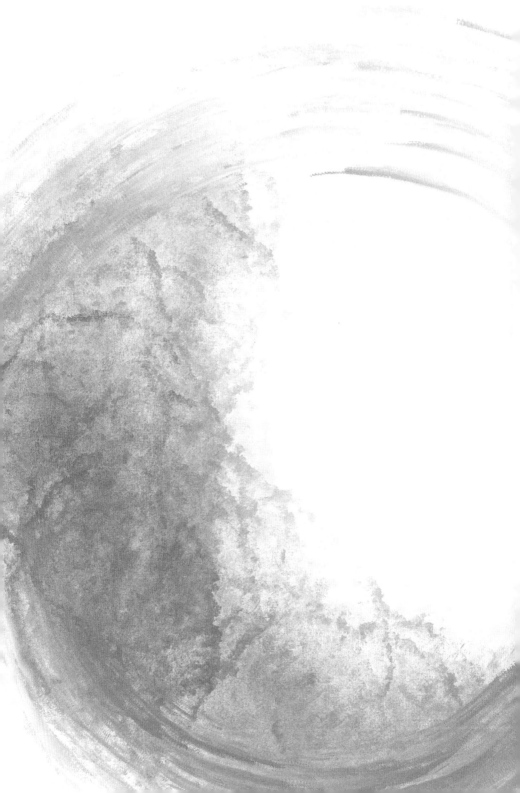

第三部分:

過去、現在和未來

我們的生命就像一個時間延續體,由過去、現在及未來組成。「現在」這兩個字指的往往是一個瞬間,短得令人會不經意地忽略。由於「現在」的不起眼,令我們總是回顧著過去的後悔及內疚,又擔憂著未來的不確定。誰知道,最不起眼的「現在」,卻是令我們感到幸福快樂的來源。

* 此部分由張天恩(香港教育大學心理學學士)和 Dr. Lo 合著。

我們常常感到後悔，
卻總學不會將過往的後悔連繫至現在的自己，
令自己變得更好。

究竟我們在後悔什麼？

第六章

●　●　●

無法控制的過去和未來

我總是沉醉於過往的後悔及內疚，
不能自已

正式進入這個章節前，請各位嘗試細心回想一直以來可能惦掛著，或曾不經意浮現在腦海當中的事物。當細心思考後，有沒有想過如果時光可以倒流，然後你能為自己的生命安插各種天馬行空的假設，在各個瞬間，或許會有不一樣的做法和決定，最終的結果也會變得不一樣，變得更符合我們現在心目中理想的情況，讓我們的人生變得完美無瑕。

我們需要知道現實中再微小的事也能夠造成無可挽回的後悔。例如選擇午餐時，看見餐牌上寫著很多你心愛的餐點，於是你不停地下單，進食的過程才發現根本吃不下所點的食物，最終浪費了一整枱美食和大量金錢，後悔剛才不應該點某幾道菜，不應該浪費食物和金錢；或是逛街或網上瀏覽時毫不猶豫地刷信用卡買了一個名牌手袋及各種各樣不是太必需的物品，清還結欠時發現自己根本沒有足夠經濟能力，導致無力償還，後悔不已；又或是和朋友相處的時候，不經意地說出了一些傷害別人的話，事後一直想著對方的感受，擔心對方會否因為被自己的輕浮傷害而不再和自己友好，內心感到十分懊悔。雖然這些事或許微不足道，但就是不停徘徊在腦海中，後悔的感覺揮之不去。

「搏盡無悔。」很多人的願望可能就是一生無怨無悔，平安

順利渡過人生一道道關卡。但是我們總是後悔自己沒有好好陪伴身邊的家人、朋友，甚至還常常懊悔自己為什麼不懂珍惜身邊人，趁他們還在時好好跟他們相處，為什麼總是愛得不夠及時。我們亦會內疚沒有好好在求學階段投放心力讀書，錯失了爭取好成績的機會，最後不能在大學裡選擇喜歡的科目；又或者在大學時期，由於慵懶和心不在焉，錯過了一次又一次的實習和工作機會。畢業後，沒有亮眼的履歷表令自己不能找到一份薪金高、地位高的職業。職場之路由於過往的疏忽，變得崎嶇無比。

我們小時候常常聽到長輩說「知識能改變命運」，長大後我們都能感受到這句話的真諦。在已發展國家及地區，不論是什麼年齡、才能、生活條件，每個人都享有接受教育的平等機會。學習能夠讓我們理解和接觸不同領域的專業知識，增廣見聞。大學裡總有源源不絕的機會讓學生到外國以交換生的身份進行交流。接受教育的過程能令人擴大社交網絡，結識有同等學歷、富有文化、志同道合、未來能夠在事業上或生活上幫助你的人，甚至增加擁有高薪厚職的機會。物競天擇，適者生存，教育可以說是其中一種讓我們充分實現理想的工具，學習不同的生活技能使我們克服生活上的各種困難。根據二〇〇五年在 *Personality and Social Psychology* 期刊發表的研究報告指出，美國人最感到後悔的事大多都在接受教育方面。他們後悔當初沒有好好把握接受教育的機會、後悔沒有用心讀書令自己未能繼續升學或選擇某些科目等，例如：「如果我認真讀書，就可以升讀大學。有大學的畢業證書，現在的我就是主任，亦不用受主任的氣。」某些人經常將「如果⋯⋯」掛在嘴邊，悔恨當初沒有把握機會或做出更好的選擇。

活得真累

　　後悔往往被定義為一種反事實情緒的表達。在出現某種負面的或不滿意的結果時，我們會把之前的行為與事實相反的結果進行不必要的推理，產生一種強烈而持久的負面情緒。我們常用以「如果」開始的句子（what if sentences）問自己：「如果這樣，那會怎樣？」這是一種沉醉於過往的後悔的表現。新聞工作者 Kathryn Schulz 受邀在 TED Talks 上演講，她分享了自己紋身的經歷，同時解釋後悔時經歷的四個階段。她在二十至三十歲時，大部分時間都在外地旅遊，後來她定居紐約。她擔心自己會忘記在外地時學到的兩個教訓：第一，要不斷探索；第二，著眼於自己最真實的感覺和方向。為此她紋了一個象徵導航定位的指南針圖案在手臂上，她認為這個簡單的紋身承載著以上提及的兩個教訓和想法。可是當她從紋身店走出來，便對一小時前剛剛做的決定後悔不已，她只想這個紋身立即消失。拒絕接受「做錯」的事為第一個階段；而困擾就是第二階段，我們會把自己在後悔的事上抽離，人在這階段會想：「究竟我剛才在想什麼？」「我為什麼會去紋身？」；第三階段是懲罰自己，Kathryn 形容當時站在紋身店外想打自己；最後階段就是把以上的步驟無限循環，因此那天晚上她坐在臥室裡寢食難安，不停地想著要令紋身永久消失。

　　Kathryn 在演講中還提及另一個例子。過往我們都依靠紙筆作書寫及記錄，即使利用塗改文具刪去錯誤的部分，紙張仍然留下錯誤的痕跡，他人能夠清楚看見編輯過的筆跡。但現在，我們按下鍵盤便可即時修復打錯的字，並不會留下任何痕跡。這個「undo」文化令我們難以用正確的觀念面對生活上的種種困難。我們隨時也可以 undo、unfriend、unfollow、unsubscribe 錯的事

和錯的人。我們做選擇時似乎跟在電腦打字一樣，覺得打錯了可以重新來一遍而不會留下任何痕跡。但現實生活不一樣，我們在生活的十字路口如果不假思索地胡亂選擇，很容易會產生後悔感。

筆者朋友和她的前度男友分手當天，她的前度男友發送訊息給我，訊息裡寫著：「不好意思，你是我們唯一的共同朋友。可否幫我轉達訊息給她（筆者的朋友），我很想念她，希望她能夠原諒我，我真的很想回到過去，重新再來。你有沒有方法讓我找到她？」或許感情和很多事一樣不能夠從頭開始，沒有所謂 undo，更不是你說後悔就能給予你一個機會。

父母或親人的離世讓無數人們長時間地感到痛苦，痛苦的主要原因是他們後悔生前沒好好陪伴他們，沒有好好說愛他們，沒有好好表達自己的愛。自以為對他們付出了很多心機，每月給他們足夠的生活費，無論有多忙碌，一星期總有一兩天會陪伴他們，但為什麼總是不夠？「如果可以再來，我會多陪伴他們，帶他們去旅行……」有時候後悔也是無補於事，所以現在有想做的事就立刻做，有想說的話就勇敢說出來吧。

事實上，只要我們能夠好好珍惜每一個「現在時刻」，後悔的感覺也可減少。現在這一刻有著我們最真實的感覺和體會，但我們往往不能用心感受它，整天想著「現在」以外的事。工作時想著玩樂，玩樂時想著工作。這個模式成了壞習慣後，我們很容易會做錯決定，經常敷衍了事，敷衍我們的工作，也敷衍我們的玩樂。除了工作和玩樂，在各方面都會被潛移默化，不能著眼於現

在。即使眼前有一位很愛你、願意為你付出的伴侶，我們都不懂珍惜。即使正在陪伴家人，我們卻專注在手中的小小屏幕上，沒有跟他們好好聊天。過後我們回想時就會發現，我們以為經常看到家人，卻原來從來都沒有看清楚他們的容貌。他們臉色好嗎？他們有笑容嗎？他們看起來精神嗎？

活在當下，減少做錯決定的機會，也減少後悔的機會。

我們需要知道後悔和內疚的背後原因，才能使我們慢慢放下心中的執著，繼而明白「現在」的重要性。無論發生過的大事或小事，都可以構成後悔。後悔帶來的痛苦是很深刻的，而人類的大腦正是會傾向不斷回憶深刻的感覺。標準理論（norm theory）指出我們只會在發生結果之後才會評估結果的標準，因為我們能夠看見並預測已發生結果所帶來的好處和壞處。其實這也是一種後知後覺的認知偏誤（hindsight bias）。這個心理學理論假設每一個現實結果發生後都會令人想像其他結果進行比較。我們會傾向對於那些沒有發生的結果有強烈的感受，因為我們會將過多的美好想像投射在那些沒有發生的結果上。

另一方面，為了避免同樣的事情發生，我們會牢牢記著因為覺得自己做錯決定而產生的負面感覺。進化論強調適應能力，確保記住強烈的感覺（後悔）是我們的本能。可是人們卻過於倚賴這本能，而忽略了可避免不如意事情發生的可能性。事實上我們只要能夠專注在這一刻，想清楚每一個行為的原因，便能作出正確的選擇，不用通過後悔來「經一事，長一智」。

被動使人後悔

　　除了標準理論，被動也是使人後悔的原因。不作為偏誤（omission bias）指如果不作為（not to do）和作為（to do）都會造成同樣的嚴重後果，人會傾向選擇不作為多於作為。NBA 的裁判在臨完場那段時間吹罰犯規的裁決會比在比賽中段時間減少百分之五十。即使裁判這公平公正的代表面對公眾的關注和壓力時也選擇寧願不吹罰犯規，這正正是不作為偏誤的一種表現。

　　人生中總會有很多不同的選擇，例如培養興趣、升學選科、到外國交流、工作抉擇、升職機遇、結識不同朋友、尋找心靈伴侶、投資創業、移民、休閒過活等。如果我們想把握每個機會，就不要怕所謂的潛在「後果」。只要很想很想實現夢想或得到一些必不可少的東西，我們很自然就能產生動力去嘗試，努力拼搏，不會讓自己後悔。最重要的是把握現在，年輕的你沒有什麼輸不起，可以勇敢嘗試不同方案，成功了就會脫穎而出，失敗了就重新再來。年長成熟的你可能已有很豐富的經驗和廣闊的人際網絡，也不用顧慮太多，相信自己的選擇，不要讓自己悔恨當初。很多機會不是必然有的，錯失了不容易拾回，所以要好好把握現在，捉緊眼前的機遇。

慣性無助感

　　慣性無助感、標準理論和不作為偏誤同樣是評估結果的利弊而作出相應的行為和感受，亦會造成後悔。小學和中學時期，筆

者的學業成績表現不太理想，一直在最後十至二十名內徘徊。即使常常進出功課輔導班，並加強課程內容的基礎訓練，老師、父母和校長都不停勸告我要投放更多時間和精神讀書，我卻總是力不從心，被無力感重重包圍，當時的我只想著逃避。

另一方面，我鍾情於運動，熱愛打排球、游泳等，經常代表學校參加不同比賽，亦獲得不少獎項。因此，我會藉運動練習繁忙和練習後需要休息這些理由來逃避溫習。父母不會因為我學業成績不好而懲罰我或者阻止我參與課外活動。在這種生活模式下，我雖然仍然會溫習和做功課，但我對自己的要求是能夠升班就心滿意足。到了準備考公開試的高中時期，所有同學都在埋頭苦幹溫習，習慣得過且過的筆者，因為對於所有科目的知識一知半解而處於一個放棄狀態，我甚至認為自己天生不是讀書的材料，永遠無法取得好成績。每一次看到課本上的字就已經覺得很疲累，頭痛的感覺也迎面而來，亦曾經懷疑過自己是不是有讀寫障礙。筆者後來修讀了副學士，若想升讀心儀大學，學業成績必須非常出眾，因為副學士課程競爭很大，每間大學只會提供有限的學士學位。要重新找出適合自己的溫習方法並不容易，看著朋友在社交網站發佈在大學自由自在的生活，心裡總是感到悶悶不樂，後悔當初未有把握時間和資源好好讀書，以致仍要擔心能否繼續升學的問題。

習得無助感理論（learned helplessness）是六十年代由美國心理學家 Martin Seligman 提出。人類和所有動物一樣會受著環境和因果關係的影響，並學習如何適應生活環境和控制自我發

展，以切合生存和生活的基本需要。假若我們發現那個因果關係並不存在，或結果不能符合預期，行為就變得沒有任何意義而不會進行。對於適應生活和求生的技能來說，這個情況會引起不良的心態，甚至導致習得性無助。相關的研究找來三隻狗進行一連串的實驗，牠們走進了各自的箱子內。在第一輪的實驗中，第一組（A）的狗不會遇到任何電擊；第二組（B）的狗會遇到電擊但是牠們可以控制，只要牠們自己走到箱子的另一邊就可以把電擊終止；第三組（C）的狗會遇到電擊卻不能控制電擊，只能非常被動地接受電擊。在第二輪的電擊中，B和C的狗都被設定成「只要牠們願意走到箱子的另一邊，就可以把電擊停止」。但是，實驗結果顯示，只有B組的狗能夠走到另一邊把電擊停止，而C組的狗只是靜靜躺下接受電擊，從來不嘗試尋找方法阻止電擊。C組的狗不再嘗試是因為牠們深信自己不能控制這個環境。

　　從這個經典的實驗中，大家領略到什麼？習得無助感之所以是「習得」的，因為它是由自己的信念而引致的，長期的失敗及無助令你感到自己再也不能去改變，所以你便「乖乖地」接受這種無助感。更可怕的是這樣的無助感會帶到生活的不同事情上，更會變成一個惡性循環。但是，我們要知道現實世界並不是一個封閉的箱子，更不是像實驗般一個人說了算。我們都可以自由移動，自由去選擇新的生活方式。關鍵在於，你不能讓「那個在外在世界的人」說了算（第二部分：內在世界），你要主動出擊（第一部分：改變），而更重要的是，你要在此時此刻作策略思考並去計劃。

　　當我們深信自己無法完成某件事，我們的行為就自然地傾向不成功的方式，亦會繼續製造更多不成功的疑慮，最後放棄過往所作出的努力，漸漸把所有可行性徹底忘掉。當你的習得性無助感造成了可怕的結果，後悔的感覺自然會慢慢浮現並吞噬所有動力。一生裡總有很多失敗的事情，但「相信自己的未來」這個思維掌握於自己的內心，不要被無助感侵蝕自己的思維。我們要不斷作出想像中的嘗試，再努力裝備自己的硬件和軟件，總會出現一些出路。努力的過程或許比較迂迴曲折，但終點永遠就在眼前，途中只是考驗我們是否有絕對程度的集中力和決心。而「過程」二字正正就是現在及當刻，每一個努力的當刻就是不斷推動你前進的鑰匙。

　　Trust the process; Enjoy the journey.

　　我們後悔的時候會不停想著更好的結果，這是因為我們清楚自己其實擁有很多機會和可能性，甚至知道做得更好的方法。然而，現在才是我們能夠控制的時候。只要「化悔恨為力量」，由現在開始想想我們渴望的生活，想成為怎樣的人，再計劃現在這一刻我究竟要做什麼，每天循序漸進，最後就能夠成為自己也很喜歡的人。

過分後悔會絆倒我們

　　過多的後悔會令人停留在人生中某個時候並原地踏步，毫不長進。我們會重複回到當初面對選擇時，幻想自己在那一刻原

來的可能性。這情緒會令我們深深地痛苦著，不停想著當初本應該作出更聰明的決定，這樣我們就可以在幻想中把幸福的距離拉近。有些人會一直沉淪在這種痛苦之中，不能輕易走出極度負面的情緒反應，更為了當初一時不小心的錯誤決定而懲罰自己。

人的本性傾向後悔一些決定。著名國際神經科學學術期刊 *Nature Neuroscience* 在二〇〇五年刊登了一篇論文，研究發現大腦中的眶額葉內側皮層（medial orbitofrontal cortex, mOFC）受損的患者沒有後悔的情緒，也無法改變自己的行為來避免引起這種感覺。眶額葉內側皮層位於大腦額葉的眼眶上方，負責後悔的感覺。經濟與心理學教授 Giorgio Coricelli 和研究團隊設計了一個功能性磁共振成像（fMRI）實驗，以監控人類如何做出決定和做決定時的感覺。實驗人員提供了兩種選擇給參加者，一種選擇的風險高於另一種選擇，但有可能獲得更大的回報。當參加者表明了選擇之後，實驗人員會告知他們決定的結果，同時研究人員也會揭示如果他們作出另一個選擇的結果。他們在選擇結果與替代結果之間的差異會引致後悔，眶額葉內側皮層活動同時變得活躍。

過度後悔是一種有危害性的情緒，它會主動帶來其他的負面情緒，並同時引起繁複的情感困擾，例如悲傷、內疚、尷尬、憤怒、被羞辱感覺、哀慟、失望等，更會引致嚴重壓力。過分的後悔會導致無形的壓力，更會慢慢地影響我們此時此刻的思想、行為，甚至人生的選擇和方向。雖然後悔帶來的壓力不一定是壞事，可能它是一個引領訊號，告訴我們正在後悔的事情的重要性。然而，若後悔的事一直在腦海中重演的話，我們會越想越痛

苦，引致身心疲累，無法接受自己的不足，無法好好享受現在擁有的事，甚至難以再計劃和嚮往將來的美好。

後悔能使我們進步（後悔的領悟）

　　我們知道後悔是正常的和自然的負面情緒，會使人「活在以前」，亦會拖累我們，忽視了眼前的各種美好。根據進化論，對於人類的生存沒有意義的東西會被自然淘汰，但為什麼我們依然會有後悔的情緒？事實上，適當的負面情緒能夠演化成動力，使我們改善未來的生活。研究指出人在七歲開始擁有決策能力和後悔的情緒。有經歷過後悔的小朋友比起沒有經歷過後悔的小朋友較能夠作出具適應性的決定。後悔的經歷讓小朋友迅速從失敗之中學習並汲取教訓，為現在和未來作更好的準備。既然小朋友也能夠得到這樣的領悟，那麼成年人當然也能夠體會到同樣的學習過程。

　　當我們後悔時，只是運用深刻的情緒牢牢記著不希望再發生的事。當我們反思當初如何做得更好，並幻想著更美好的結果時，其實我們清楚知道自己的能力和可能性，那麼何不將那可能性放在改善自己的目標上？透過經驗強化現在的自己，令自己更能面對未來的挑戰。人統治了地球，甚至開始思考如何統治宇宙，這都可能源自後悔，我們會後悔昨天的錯誤或不足，所以希望今天活得比昨天好。

　　我們借助後悔的動力來達成現在更好的自己。

　　有人說後悔的相反可以是再生（renaissance）。後悔即代表我們相信自己有能力做得更好，如果我們能好好運用「後悔」的覺悟，便能再生。我們不用過分吹噓自己從不後悔，這反而是逃避面對失敗。我們能夠控制的不在於過去，而是在此時此刻的變化。我們要相信自己有足夠的能力阻止沉醉在後悔裡而不能自拔，更要秉持無限的信念讓自己在現實中穩健前進。

我們都曾經有過錯、有掙扎的時候。
「過去」並不只是令我們成為悲劇中的主角，
而是令「現在」的我們變得更有力量。
而「現在」的力量，會進一步令我們掌控著未來。

We all make mistakes, have struggles, and even regret
things in our past. But you are not your mistakes,
you are not your struggles, and
YOU ARE HERE NOW WITH THE POWER
TO SHAPE YOUR DAY AND YOUR FUTURE.

Steve Maraboli

未來的世界充滿未知及不確定，
我們不喜歡不穩定的事物，
這種不喜歡令我們產生焦慮。

我們卻總不瞭解，若要令未來變得可控，
重點是放眼於現在。
從現在這一刻開始努力介入生命中的各個細節，
令自己更能擁抱未來的變化。

我們總是為未來而憂心

　　在寫這部分之前，筆者訪問過身邊的人究竟他們在擔心什麼將來的事情，當中四十至七十歲的受訪者，他們擔心將來子女和孫兒不能自給自足，不能出人頭地；他們也擔心自己沒有足夠的金錢以供退休養老之用；他們還會擔心被疾病折磨，尤其是長期慢性疾病，他們不希望依靠藥物維持生命，擔心年老時期不能好好享受生活。至於那些十四至二十四歲的受訪者，他們都會擔心將來不能就讀名牌大學或選修自己心儀的科目；有些不知道自己喜歡什麼，怕自己找不到方向，輸在起跑線。大學畢業生擔心沒有工作機會、找不到高薪厚職、沒有足夠的金錢買房子。亦有人擔心找不到適合的伴侶或情場失意要孤獨終老，即使有伴侶的也會擔心不能長相廝守。

　　其實大部分擔心的事情有著一個共通點——未知的事，我們會對未知領域有著某程度上的恐懼，當中大部分都包括了人生大事。我們傾向反覆想著以前或將來的事情，卻不會記掛正在發生的事。正如在第一章提及過，人類的腦袋很懶惰，會避免消耗能量。未知之所以引起焦慮，在於大腦難以想像，凡是難以想像的東西我們都總帶著驚恐。古人面對著各種自然現象，如雷電及暴風雪等，都帶著畏懼的心，因為他們不理解自然現象的形成原因；現代的我們面對著各種日新月異的科技，總會帶著懷疑的

心，這也是因為我們的不理解。

　　在本書第二部分提出的社會比較（social comparison）也會令我們對於未來感到無力。朋友 A 升職了，他想邀請你吃一頓飯慶祝；朋友 B 結婚邀請你去飲宴；朋友 C 買房子了，他邀請你參加「暖房」派對……看見身邊的人都一直進步，進入人生不同階段，不停獲取人生成功事項，自己卻停滯不前。沒有目標的人就會捲入擔心的漩渦，不能自拔。有些人放大了未知的恐懼，對於自己的人生沒有期望，沒有動力尋找清楚目標和正確方向，每天就百無聊賴地生活。「算了！我沒有可能儲蓄足夠的金錢買房子。」「我沒有什麼優點能夠吸引異性，我注定孤獨終老了。」有些人卻能夠戰勝懶惰的腦袋，好好運用時間和年輕的精力，計劃現在要做好的任務，想想如何每天進步多一點，怎樣能夠一步一步實踐小目標並成就大事。

　　每個人每天都擁有二十四小時，能否戰勝對未知未來的擔憂，一切在於我們有沒有好好掌控我們能掌控的事，而這個能掌控的事，就是「此時此刻」的我們。我們的人生除了第二部分所說分為「內在世界」和「外在世界」之外，也能分為「可掌控的世界」和「不可掌控的世界」。我們除了要專注於「內在世界」，還要將能量放在「可掌控的世界」。過去的事已過去了，把它當成一種經驗，來成就「此時此刻」的自己吧。過去的事已無法改變，所以它屬於「不可掌控的世界」；未來的事存在著許多變數，很多事情都會發生在我們的期望之外，所以未來也是屬於「不可掌控的世界」。而唯一「可掌控的世界」就是「此時此刻」。在此刻的每一

個瞬間，都是我們自己去控制到底要怎樣去過，而如何過「此時此刻」，正正是令自己對未來減少焦慮的唯一方法。

	可控的世界	不可控的世界
內在世界	「現在」的「你」	內在世界永遠可控
外在世界	外在世界從不可控	過去、未來、別人

不想未來因為缺乏金錢而擔憂？從現在起，制訂理財目標，儲蓄及投資；

不想未來因為身患重病而不能享受生活？從現在起，注意飲食，培養運動習慣；

不想未來找不到好的工作？從現在起，好好把握學習的機會，把自己變得更值得擁有好工作的人；

不想未來孤獨終生？從現在起，珍惜和每一位朋友的情誼，付出努力和別人建立關係。

有人說，五年後的你源自現在的你，你現在生活的每一個選擇，都會靜靜地塑造出未來的你。我們只需要想著可控的世界，因為不可控的世界無論你想或是不想，它終究也是不可控的。

無論人生是處於高潮或低潮，我們都會有擔心的事。人類是擁有高度智慧的生物，我們能夠計劃、期望、想像、對事情作

不同假設，也使我們有能力預測未來。我們會檢討個人能力和態度，從而評估自己能否達成未來的目標和夢想。與其不停地憂心著未來，不如把握現在好好裝備自己，透過實際行動和計劃以達成目標。制定長期的夢想和目標對於尋找動力很重要，沒有目標就沒有人生方向，做每件事都總是漫無目的。若不能停止憂心某些事情，甚至被它控制了我們的思想和日常生活，這樣的擔心不是毫無意義嗎？

筆者在忙碌的時候，曾經擔心不能準時完成工作，也擔心成品達不到預期的質素而充滿壓力。亦曾經因壓力而心跳加速、手心冒汗，甚至試過整個星期無法專心於工作和學業，每天只是睡覺、上網和發呆。隨著一個個「死線」來臨，功課和所有工作卻沒有任何進展，不禁後悔自己浪費了很多時間，有著難以想像的罪惡感，繼而對從哪裡開始原先的計劃感到彷徨，然後就只想著進一步逃避。雖然最後所有事情都緊貼著「死線」完成，但之後那種壓力和擔心卻更為嚴重，到最後即使完成功課和工作，又擔憂質素不好，擔憂會被老師和上司責罵。這樣一直延續下去的擔憂，很容易演化為精神問題，最終成為一個惡性循環，無法停止為不同的事情擔憂。

人類不善於預測自己對於事情的感覺（affective forecasting）。我們預測的感受會比實際經歷的感受較為強烈。有研究找來六十九名戀愛中的大學生，追蹤他們九個月的狀況，當中二十六名參加者在進行實驗期間跟伴侶分手了。他們在戀愛期間記錄了他們認為自己分手後傷心的程度，結果顯示他們的估計並不太準

確。影響力偏誤（impact bias）解釋了當人們正在戀愛，他們傾向覺得分手會令他們感到非常難過。但事實上沒有這麼難受，負面的情感亦沒有那麼傷痛。

　　同樣地，我們可能對於正面的事，例如被名牌大學取錄、升職加人工、結婚成家立室、中彩票、獲獎等的愉快感覺抱有很大期望。我們預計若果能夠經歷這些事情，我們一定會很快樂。但當這些事情發生了，原來都不外如是。我們做每一件事或者做每一個決定都基於對那件事的感受，但有時候我們的預測並不準確。所以當我們的過分擔心影響我們的生活或情緒時，可以嘗試提醒自己：我們對於經歷的事情產生的感受不會是想像中那麼嚴重。與其不停幻想事情結果帶來的感覺，倒不如花心力想想當下可以做些什麼達成理想的效果，好好享受現在的過程。對於未來的擔憂，其實沒有你想像中的那麼重要。

　　當然，對於未來有擔憂是人之常情。未來總是有無限的可能和難以預測的亂流，對於它的變化，我們會自感無能為力，更無法想像各種變化對我們的深遠影響。然而我們能夠控制的就是今天的事情。長輩教導「今天的因，明天的果」，我們要小心翼翼思考對於將來的期望，然後把時間推到現在，想想我們究竟需要做什麼。對將來的期望不一定是什麼偉大的夢想，可以簡單如不希望將來滿面暗瘡、今天要作息定時和均衡飲食等。如果我們能夠著眼做好今天重要的任務，一天一天的進步，一天一天地走近目標，我們就不用再憂心未來，因為你每天的努力，正在為未來的成功作出積累，令你對未來更有信任和把握。

　　物極必反，所有事情都是適可而止，例如飲水對身體有益，但過度飲水亦可能會中「水毒」。同樣地，適當擔憂可以推動我們達成目標，但過分擔憂會影響我們對現在和將來的看法。過分聚焦於將來，只會令我們忽略了沿途的風景。這世界每天在不停變化，我們也要跟上變化的速度，隨著變化不斷成長。當我們對於未來非常焦慮，請不要忘記「現在」，只要專注在現在，做好每一件事，當中的變化會成就更好的發展，能夠更清晰地帶你到想要的高度。如果你已經發掘到自己的興趣和終身目標，你會很清楚「現在」應該做什麼事，每天都朝目標邁進一步。達成夢想之前，要不斷提醒自己先做好此時此刻的事情，當中經歷會帶給我們智慧，讓我們更加勝任成為理想的自己。

不要等待生命。不要希望生命為你帶來什麼。
我們要做的是意識到此時此刻你要做的事，
帶來奇蹟的往往就是此刻這個瞬間。

Do not wait for life. Do not long for it.
Be aware, always and at every moment, that
THE MIRACLE IS IN THE HERE AND NOW.

Marcel Proust

第七章

• • •

專注於現在，
就能令我得到人生希望？

專注於現在，可以令我們更貼近人生希望。

若要專注現在，做好每一件事，我們需要實質的方法和行動。美國正向心理學家 Rick Snyder 提出的希望理論由三個不同部分組成：一、目標（goals）；二、路徑思考（pathway thinking）；三、行動力思考（agency thinking）。充滿希望或樂觀的人會準備很多不同的路徑使自己達成目標，因為他們預計在路途中會遇到不同的障礙和失敗。他們不會期望那些路徑是輕鬆的，清楚知道必須要經過艱辛的努力才能夠獲取成功。他們是充滿活力的行動者，會尋找方法使動力變得持續以達致目的。再者，充滿希望的人都是比較健康和幸福的，無論在學業或事業上都會有較高的成就。

這理論更告訴我們可以學習樂觀的思維，向來較負面的人都可以變得充滿希望。我們可以針對理論的第一個部分，先定下可行的目標，思考潛在機會和危機，目標是這個理論的先決條件。這些目標必須是你非常關心和很想達成的事，然後寫下你的目標清單。例如你從來不會做運動，現在定下目標希望可以定期做運動，讓自己身心健康。寫下目標清單時，第一件事就是要把它們量化，可以先把「做運動」變成「一星期做兩次運動，一次負重運動和一次帶氧運動」。然後請制定時限，例如「一個月內，每星期做兩次運動，逢星期一做三十分鐘負重運動，逢星期五做三十分鐘帶氧運動」。最後寫下如果達成目標，你會有什麼感覺。當你把每個目標量化和制定時限，你就可以對於目標有一個更清晰的畫面和進一步實踐，成功機率將大大提升。

　　然後我們要針對路徑思考及制定一些方法去達成目標。通常這些方法都包括一些小目標。例如可以把小目標制定為「第一個月每星期做一次運動，每次十五分鐘負重運動和十五分鐘帶氧運動。第二個月開始加碼。」記得要多計劃三至四個「路徑」。當實行路徑 A 的時候遇上阻滯，我們可以立即實行路徑 B，這樣可以令我們有彈性地實行計劃，並防止自己因為遇到一次挫敗就停下來及放棄一直在追求的東西。

　　最後我們要針對行動力思考，我們緊記要達成目標是絕不容易的事。我們要預計有內在和外在的障礙會阻撓我們成為理想的人。這些內在的障礙可能是自己的惰性或不耐煩。外在的障礙可能是跟別人比較，又或者因為玩樂而把目標擱置。美國紐約大學心理學系教授 Gabriele Oettingen 提出當人們把障礙視覺化，並預備一些具體的方案以解決那些障礙，他們會較主動和較有動力做實質行動，也會較容易成功達到目標。有時候我們要避過障礙，找其他方法去解決問題；有時候我們要衝破它，同一件事未必可以一次成功，可是只要多做幾次，每次用不同方法，總有一次會衝破難關。我們要常常這樣思考：「如果（有障礙），我就會（克服障礙的行為）。」

　　這讓筆者想起做數學題目，答案就是「目標」。我們有時候要想想用不同的程式去解決問題，程式就像「路徑」。在課堂上學習數學程式之後，我們會做練習，「程式 1」不能讓我們找到答案，可以用「程式 2」。有時候，我們雖然運用了正確的程式，但計算過程出錯了，以致未能找到答案，那麼就再做一次吧，只要不斷

嘗試，終可找到答案的。我們的人生也是如此，遇到困難時記得還有計劃 B、計劃 C、計劃 D。不要怕難，不要怕辛苦，只要把現在的事情做好，完成一個小目標，我們便能勝任挑戰更大的目標。同時我們會更有智慧，更成熟地去面對難題。

　　未來的目標始於現在的行動。空想、空擔憂並不能令你更貼近理想的未來。只有專注於當刻的行動，才能令你減少對未來的擔憂。

我的努力有用嗎？

　　我們計劃了明確的目標，亦很努力向目標進發。無論這目標是大事或小事，有些時候我們會懷疑自己的努力會否有回報？自己的選擇和計劃是否妥當？我們的用心會否有人賞識？我真的有實際能力走這條路嗎？這些想法在遭受挫敗、感到疲累或對重複做的事情麻木時便會出現。當我們問自己努力是否有用時，其實心裡已有明確的答案吧。有時候我們並沒有好好釐清自己的心理障礙，只是在擔心最終會否白費了心機和努力。

　　筆者在中學一年級入選排球隊，當時看著師姐們在排球場上都很帥，無論接球、傳球、殺球都發揮得淋漓盡致。我以她們為目標努力練習。剛剛學習新運動時，只要稍為努力一點就可以很快進步，相信很多運動員都有同感。但在中學五年級時，無論我怎樣練習都在原地踏步，甚至經常表現失準。那時我清楚知道自己處於「瓶頸位」。

　　收益遞減法則（law of diminishing return）是經濟學的理論，在生產過程的初期，增加生產工具會同時增加產量；收益遞減法則指當產量到了某一個限度，產量增加的幅度會隨著繼續增加的生產工具而出現遞減現象。這理論也可以應用在人們的生產力（productivity）和自我提升（self-improvement）中，這法則

正正解釋了為什麼我們會徘徊在「瓶頸位」。我們在每年的十二月開始計劃下年度的目標，每天要做什麼，每星期要做什麼，每月要做什麼。新一年的開首，我們總是興奮地實行新的飲食習慣，新的運動目標，新的學習模式。這時我們都得到理想的效果，覺得自己能夠堅持完成這些習慣。但當我們習慣了，當這些效果開始減弱時，我們需要增加這些習慣的時間或強度才能夠回復並持續理想的效果。這時，我們會失去動力，繼而很快就放棄所有計劃。很多時，不能成功或精通某事情都是因為我們不能夠突破「瓶頸位」。所以當收益遞減法則發生時，我們著眼的未必是生產流程或個人技巧的問題，而是要不斷嘗試找方法提升動力。

你有否問過自己，究竟你是為了金錢和名利而努力，還是因為喜歡正在做的事而努力？很多心理學學生都希望可以成為心理學家，但要怎樣才可以做到呢？以在香港成為臨床心理學家為例，先決條件是完成心理學學士學位，並取得優異成績。然後憑著相關工作經驗和閱歷，通過碩士課程入學面試，並於兩年的學習期間完成多個小時的實習，才有資格成為臨床心理學家。若只是計算讀書時間，最短也要六年（四年學士加兩年碩士），六年時間對很多人來說是十分寶貴的日子。有時候，老師會問我們為什麼想成為心理學家，「帥氣」、「高薪厚職」、「希望可以幫助別人」都是同學們的普遍答案。但當老師提到日常生活中很多方面都可以幫助別人，為什麼要為此成為臨床心理學家時，大部分同學都不懂反應。這時，我們便要找出想法的背後原因，會不會是「所有心理學學生都想這樣，所以我想」？這是外在條件的因素，那我們就要重新考慮是否繼續追求這目標，它可能只是你和同伴之間的

一種潮流，並不是你一輩子的夢想。

　　我們若要突破「瓶頸位」和學習專注於「現在」，定立目標時我們要先追求來自自我和發自內心的事情。我們要經常問自己「為什麼」，嘗試大膽想像二十五年後想成為怎樣的人？想過怎樣的生活？二十五年的確是很久以後的事，但當我們認真想想，一定可以想像到我們認為理想的生活。然後再推到較近的時間，想想十五年、十年、五年後理想的生活、理想的自己，同時預測身邊環境對自己有多大壓力。接著，我們要想想這種生活為什麼適合自己：

1. 這種理想的人或生活是來自於別人的期望，還是自己真正希望的？

2. 如果我不能夠成為理想的人或過理想的生活，我會後悔嗎？

3. 這個理想的自己或理想的生活型態切合我的價值觀和想法嗎？切合我的人生意義嗎？

　　以上問題只是為了確認我們的想法，理想生活和理想的自己都是出於自我，符合自己的價值觀，而不是為了符合別人的想法或為了得到一些外在的條件（extrinsic reward）而追求那理想的生活。當我們很喜歡現在做的事情，所有行動都是出於自己的意願和渴求，我們就能夠感受「現在」帶來的快樂和幸福。

　　自我和諧（self-concordance）指出當人們追求的事跟個人價值觀、興趣和慾望一致，人們就會更加努力去做，擁有更大的成功感，進一步提升幸福感，然後繼續努力追求更宏大的目標。這成了一個既能夠幫助我們完成目標，又能夠加強動力的正面循環。如果我們在追求目標途中發現原來這目標與我們的價值觀相違背，我們只會抱頭怨恨當初的選擇，亦會覺得浪費了時間。所以只要我們的目標與價值觀一致，成了內在的一股強大動力，在任何情況、任何地方、任何時間，我們都可以在正確和適合自己的路徑上追尋獲得最大效益和幸福感的目標。那時候，我們不用任何人催促或監管下都可以充滿動力去驅使自己作出任何實際行動，自動自覺每天都珍惜並專注在此時此刻，而我們的努力一定有用，一定可以讓我們闖出一片天。

現在，就是最好的時光

「過去的事都已成過去，不要再想。即使我們計劃好將來的事，仍然未能控制一切。所以我們都要活好現在。」這都是我們希望做到的。為什麼要專注現在這一刻？專注現在（mindful/be present）能夠使我們感覺到每個決定都要由自己控制的，這是一種能夠掌控環境的意識。我們對於不同的事情都有既定的想法，例如小朋友應該要乖巧聽話，健康地長大；青少年應該尋找自己的興趣，預備將來的發展；成年人應該要有責任心，有獨立經濟能力，為家庭付出。男生應該要這樣，女生應該要那樣，彷彿每個人都有既定的身份，有應該要做的事。專注這一刻，讓我們經歷和感受內心認為的身份、信念和決定。

哥倫比亞大學心理學教授 Edward Higgins 提出「自我差距理論」（self-discrepancy theory），指出我們心目中有三個「自己」，分別是「真實我」（actual self）、「應該我」（ought self）及「理想我」（ideal self）。「真實我」是自我概念：自己心目中認定的自己，也是別人認為我應該成為的人；「應該我」是我有責任要成為的自己，例如在學業或職場上的自己；「理想我」是我希望和期待自己成為的樣子。Higgins 認為我們都希望在生命中的各個層面——即「真實我」、「應該我」和「理想我」均能夠一致，例如在工作、學習、人際關係、自我成長上等。若「真實我」和「理想

我」相違背，真實的自己達不到我們心目中的標準，這樣會形成心理差距（discrepancy）。

當這心理差距越大，負面情緒困擾也會變得越嚴重。當「真實我」和「應該我」有差距，就會容易產生焦慮；而當「真實我」和「理想我」有差距就會容易產生憂鬱的情緒。這些情緒會影響我們的日常生活，甚至令我們的表現難以達到理想水平。這心理差距把自己捆綁起來，生活裡再也沒有成就感，更沒有幸福感。

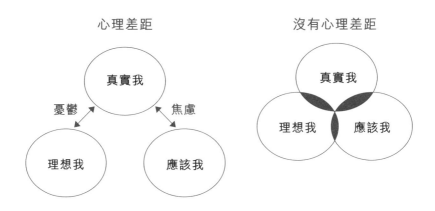

心理差距　　　　　　　　　沒有心理差距

真實我　　　　　　　　　　真實我

憂鬱　　　焦慮　　　　理想我　　應該我

理想我　　應該我

專注現在能讓我們放慢腳步，調節生活節奏，感受自己最真實的感覺，看見自己所有的可能性，看見自己的強大。專注於現在讓我們更有洞察力，這令我們更瞭解自己，從而發現自己的弱點，或者是一些令我們感覺不好的東西，例如是某種行為或人際關係。問題被發現，我們才可以改變它。

改變，始於洞察力；而洞察力，則來自專注於當刻。

專注於現在的自己，專注於自己的感受，專注於自己做各種事情的動機，能令我們更瞭解「真實我」。我們知道「真實我」的模樣後，可以更清楚知道「真實我」和「理想我」的差距到底在哪裡，這樣才可以作詳細的計劃，透過學習及訓練，把這個差距收窄，讓「真實我」慢慢更接近「理想我」。沒有在當下的洞察力，「真實我」其實就是虛幻及模糊的。若然連「真實我」都不能清晰可見，那追逐「理想我」就變得遙不可及了。就像如果你連 google 地圖也看不懂，你怎能透過它找到目的地呢？

紐約時報暢銷作家 Mark Manson 的著作 *The Subtle Art of Not Giving a F*ck* 的第四章有一個有趣的例子：第二次世界大戰完結時，一些日本士兵在太平洋的某一個島上不知道世界大戰已完結，他們繼續執行士兵的任務，殺了很多無辜的人。日本士兵 Hiroo Onoda 是最後一個繼續執行任務的士兵，他在一九七四年，即是第二次世界大戰結束的二十九年後才投降。這例子說明若然你不理解現在，那麼你只會往一個錯誤的方向前進。

我們的大腦也會因我們練習專注於當下而改變。一項哈佛大學醫學院的研究找來鋼琴手到實驗室演奏鋼琴，發現他們大腦內的運動皮層（motor cortex）會變得活躍。然後，實驗人員邀請他們想像自己彈鋼琴的畫面，運動皮層同樣地活躍起來。這說明了大腦不能夠有效地分辨事實和我們想像的影像。如果我們不能專注在眼前的一刻，胡亂思考其他事情的話，做任何事情都會受到

干擾。工作時想著今晚和朋友去什麼餐廳吃飯；到晚上吃飯時記掛著今天沒有完成的工作。我們任由思想自己遊走，讓大腦控制自己，而不是自己控制大腦。

我們經常聽到「工作時工作，遊戲時遊戲」，的確有它的道理，專注在這一刻能夠讓我們學習主動運用並控制大腦，不讓它的「惰性」隨時爆發。最重要的是能夠清除雜念，讓我們看清楚最想要的事情。當我們成功訓練大腦專注在這一刻，三思而行，我們就可以一步一步改變生活，成就自己。

那我要如何去練習專注於當刻？

　　靜觀練習（mindfulness practice）屬於一項流行用作改善生活狀態的方法，相信大家都可能聽説過這一種特別的練習，那麼究竟它有什麼好處呢？它能如何改善我們的生活？

　　靜觀是有意識地、不加批判地留心當下和此刻的感覺，讓我們以比較開放及接納的態度與當下的經驗相處，並作出最適當的選擇和回應。靜觀的哲理和技巧都是源於二千五百年前佛法冥想的智慧，它的本質能夠讓我們有系統地培育和增長生活智慧，更能強化自我認識。現在的靜觀練習和課程是在一九七〇年代由美國生物科學家和靜觀導師 Jon Kabat-Zinn 在東方國家學習冥想後回到美國發展的一套心理療法，所以靜觀練習並沒有涉及宗教成分，適合所有人進行修煉。

　　靜觀練習有多種多樣的方法，主流的種類包括呼吸練習、身體掃描、靜觀伸展、靜觀步行、日常生活中之靜觀。運用指定的行為模式，在靜觀時觀察我們當刻的經驗，例如思想、情緒、聲音等。我們的身體機能隨著年月會不停消耗，能量逐漸下滑。我們可以通過靜觀練習放鬆身體之餘，還可對身體表達感謝。

　　我們一般都會跟隨靜觀練習導師的聲音導航修習靜觀技巧，

讓我們可以集中完成。如果各位讀者有興趣嘗試經歷靜觀練習，可以在互聯網尋找不同的資源和方法，例如有專業導師的聲音導航錄音。在這裡筆者會逐一簡單介紹主要靜觀練習的修習方法。

1. **呼吸練習**：先將全部注意力集中在呼吸上，對自己的一呼一吸保持著清醒的覺察，控制於穩定的節奏。隨著呼吸頻率慢慢地穩定下來，我們就會將注意力逐漸地擴展到觀察整個身體的感覺或一些有強烈感覺的身體部分。

2. **身體掃描**：將注意力如同掃描般由腳至頭慢慢移動，細心留意不同部位的狀況，並放鬆繃緊的肌肉。隨著呼吸的流動方向將注意力有系統地帶進身體的各個部位，做到由內到外的全身流動。我們需要帶著好奇和開放的態度去體驗身體各個部分的感覺和能量，這樣才能與身體建立更親密和友善的關係。每天營營役役的我們，可能會忽略了身體給我們發出的危機，身體掃描能幫助我們學習瞭解此時此刻的身體和精神健康，亦能增加平日對身體訊號的覺察能力，增加休息時間來回復身體。

3. **靜觀伸展**：透過柔軟的瑜伽伸展動作，把注意力聚焦於身體，並享受當中的感覺和變化，增加我們對身體的知覺，留意到身體對我們傳遞的訊息，例如身體哪個部分比較繃緊或放鬆。修習時，我們要抱著一種完全開放和對自身充滿好奇的心態，去感覺和探索自己生命中所有極限。

4. **靜觀步行**：訓練自己把專注力放在走路時身體的感覺。在走動的過程中，用心去感覺每一步、每一秒，覺察步行中每一個動作和每一個轉變可能就是一個重要的觸發點令我們對一切事物有更多的思考角度。

5. **日常生活中之靜觀**：我們做每一件事都可以運用靜觀的心態，無論是吃飯、工作、做家務、做運動等，也可以做同樣的練習。靜觀洗手在新冠肺炎疫情期間也是挺流行的。這樣我們可以有更多機會感受生活中每一個時刻的感覺。

　　研究顯示看著動物的行為和活動也可以得到一些靜觀和平靜的感覺。筆者飼養了兩隻小巴西龜，有時候看著牠們撥動四肢游來游去，在水中泛起漣漪，心情會頃刻平靜下來。當我走過去的時候，牠們用那雙墨綠色和水汪汪的眼睛靜靜地看著我，那期待著糧食掉下去的樣子實在很可愛。看著牠們的一舉一動，彷彿將所有生活中的煩惱都拋諸腦後。

　　我們的生活不可能永遠一帆風順，很多事情都不是在我們控制範圍之內，我們的能力不可能克服所有困難，但我們總是想控制一些不能夠控制的事，這樣會慢慢削弱我們的自尊心和自信心，影響精神健康和降低日後的發展潛力。剛才提及的 Jon Kabat-Zinn 有一句名言：「你無法平息風浪，但你可以學會滑浪。」（You can't stop the waves, but you can learn to surf.）這不是要我們負面地逆來順受，而是我們應該要好好把握自己能夠控制的事情，用更圓滑的方式去踏過沒法預計的風浪。除了專注

在眼前一刻，我們還可以控制我們對於身體狀況、自己或身邊事物的感覺和心態。

筆者在老人中心實習時做了一個為期六星期靜觀練習的研究，研究題目為「靜觀練習如何改善在職護老者的睡眠質量」。首三星期完成定期呼吸練習，後三星期則進行身體掃描靜觀練習。我們亦會在每一個星期六舉行視像會議。在會議中，我們會一起完成一次靜觀練習，並要求分享當中的感受，也希望參加者們能夠成為同路人，一起從中學習如何獲得更大的效益，學習從新的角度看自己的人生。我們會鼓勵他們每天在安靜的環境下自行完成靜觀練習，目的是希望他們能夠養成習慣。期間我們只會發短訊以鼓勵他們每天運用幾分鐘照顧自己。在這六星期的前後，我們會給他們做一份問卷以評估他們的改變。還會安排他們做三天的倍靈指環測試，他們可以把一個像指環的儀器帶回家，晚上睡覺時戴著它以用作量度睡眠質素和身體狀況。

參加者都是在職護老者，他們大多是兼職工作，全部都在照顧年齡超過六十五歲患有認知障礙症的父親或母親。認知障礙症的長者的行為和情緒容易變化無常，他們有可能跟從前認識的父母存在不同之處。有一位參加者分享父親在患有認知障礙症以前從來都不會責罵他，但自從父親患上認知障礙症，他就變得脾氣暴躁，沒有辦法好好控制自己的情緒，只要遇上不順意的事就會用粗言穢語罵人，甚至很容易有肢體上的衝突。這位參加者描述自己被父親責罵後會感到非常之難過，但自從修習靜觀練習，他學會了保持長時間耐心、放下和接納的態度。面對不同環境的變

化，他都可以平常心面對，懂得接納對象的行為，減少了與照顧對象的磨擦和紛爭。因為磨擦的次數減少了，從照顧對象帶來的壓力也相對地減輕了。他感覺到更有力量和能力去面對其他照顧和生活上的問題。

有參加者分享以前的自己經常沒有耐性，很容易因小事發脾氣，導致很多事情不符合自己的標準和要求。他們最初嘗試做靜觀練習時，即使只是三分鐘也難以靜下來完成，每當想把專注力放在呼吸上，他們腦海裡都會想到雜亂的東西，煩惱會一直不停浮現。他們感覺靜觀練習沒有實質用處，好像在浪費時間，亦曾經停止修習。幾天後，他們再嘗試修習，這次他們開始感受到自己的思緒較少在混雜的思緒上遊走，專注力亦明顯地提高了。六星期的靜觀練習過後，他們自我關懷（self-care）的能力明顯提升了，睡眠質素也得到顯著改善。

我們都會以自己獨有的濾鏡看世界。這濾鏡是由我們生活上潛在的文化、社會規範、自身的經歷，以及這些經歷上得到的不同領悟建構而成。靜觀練習可以更新這濾鏡，讓我們學習從新的角度看待事情，抽離自己的一貫想法去體驗及領悟事物的奧妙，以更廣闊的空間去容納事物的改變，以不同的方式去審視自己和世界之間的連繫。當我們集中精神時，大腦會產生伽瑪波（gamma waves），讓我們可以集中做事和解決問題。研究證實靜觀練習可以增強大腦內的伽瑪波，改善我們的認知能力、學習能力和記憶力等。

活得真累

　　不少人最初修習靜觀練習時都會有奇怪的感覺。我們甚少會有意識地專注感受自己身體的感覺，通常是生病時，或受到不必要的強烈痛楚後，我們才會感覺它的存在。靜觀練習的修習時間無限定，可以是三分鐘、十分鐘、一小時等。如果你真的很想找個方法改善生活品質，很想學習如何專注當下，很想知道專注當下能夠怎樣幫助我們作出更好的選擇，不如就每天抽出三分鐘試試看吧！可能是每天起床後，坐在床上嘗試三分鐘呼吸練習。生活上的不同事情也是這樣，只要你嘗試去做，一次、兩次、三次，總有一次可以得到不同的感覺，總有一次可以突破限制和想像。靜觀練習讓我們感受現在最真實的感覺，瞭解自己的需要並作出更好的選擇。將專注力放回現在這一刻，你將再沒有閒暇去關顧來自過往的後悔或未來的擔憂。

靜觀就是和自己及自己的經驗做好朋友。

Mindfulness is a way of befriending ourselves
and our experience.

Jon Kabat-Zinn

如何安排現在，
追求美好的將來？

　　想好好安排現在，首先要為將來的自己訂立明確的目標。這些目標要能夠帶領我們在適當的時候運用正確的方法做正確的事情，減少浪費珍貴的機會和時間。有明確目標的人比起沒有目標的人更加能夠在不同的範疇上有更突出的成就，他們會有更強的動力、自尊心、自信心和自主能力去作為他們持續追求完美的武器。研究更發現訂立目標與成功有強大的關係。訂立目標可以為我們在做的事增加價值和找出成功的定義。清晰的目標讓我們適當地分配工作量和清楚知道自己的進度。當我們遇上困難時可以較容易找出解決方法。

　　目標源自現在。

　　華盛頓水電公司規劃總監 George Doran 在一九八一年發展了訂立目標時要注意的五個規則，這些規則名為 SMART goals。SMART 就是五個英文字的縮寫，包括具體（specific）、可量化（measurable）、可達到（attainable）、實際（realistic）及適時（timely）。

　　具體（specific）：我們的目標要有特定的範疇。
　　1. 為什麼要有這目標？

2. 什麼時候在什麼地方執行這目標？

3. 什麼人會協助我完成這目標？

可量化（measurable）：把目標量化，使它清晰地表達出來。

1. 要如何量化目標？

2. 要做多少次？

3. 每次要做多久？

　　例如：把「看書」變成「每個月看一本書」。

可達到（attainable）及實際（realistic）：要建立現實生活中可以執行的目標。

1. 在我個人擁有的資源協助下，我能夠達到目標嗎？

　　例如：我的目標是一年內有十八萬的儲蓄，可是月薪只有一萬五千元。一年的確能夠賺取十八萬，但我還要計算吃喝玩樂和交通的花費，所以這是不可達到的目標。

2. 如果現有的資源並不能令你達成目標，你會怎樣做？

　　例如：多找一份工作？降低你的目標？

3. 要注意的是，太簡單或太容易達到的目標，其實並不是一個理想的目標。目標的難度應當與假想當你運用全部現有資源後能達到的目標一致。

適時（timely）：計劃完成目標的時間表。

1. 什麼時候要達成目標？

2. 每一個階段要花多少時間？

3. 每一個階段要完成什麼？

　　例如：要在一個月內完成一千五百字的文章的話，我就要每星期花三小時寫五百字，三個星期就可以完成，最後一星期花三小時重新檢查整篇文章。

　　建立每一個目標時都可以問自己上述五個規則，這樣可以使我們的目標變得可行和個人化，有助我們持續地向著目標實行相應的行動，同時也會加強我們向著目標奮鬥的原動力。

　　有研究人員延伸了 SMART goals，成了 SMARTER rules。SMART 是一樣的，只是增加了道德（evaluative/ethical）和獎勵（rewarding）。道德是指執行目標時的行為是符合專業和個人道德。即使我們沒有學習過關於道德的課題，我們對於道德觀念也有一定的看法。若果我們訂立的目標會違背道德觀念，這不但不能夠讓我們達成目標，還會增加自我矛盾的負面影響和減弱追求目標的動力。

　　最後，我們訂立目標時還要設定達成目標後的獎勵。美國心理學家 Burrhus Frederic Skinner 的操作制約理論（operant conditioning）指出人可以藉著獎賞或懲罰以增加或減少一些行為。給予的獎賞（positive reinforcement）會使人再次做同樣的行為。當然達成目標不是為了獎賞，但這個行為能夠幫助潛移默化，把執行目標變成一個有正面影響和鼓勵性的行為，這樣我們才能夠有動力繼續完成下一個目標。

養成好的習慣

古希臘哲學家 Aristotle 曾説過：「我們的重複行為造就了我們，所以卓越不是一種行為，而是一種習慣。」（We are what we repeatedly do. Excellence, then, is not an act but a habit.）

我們每天起床都會很自然地去刷牙、喝杯水和吃早餐，習慣就是每天不用想就會自動自覺地做的行為，所以養成好的習慣很重要，因為這些行為就是主管我們日常生活清單的最佳方案。大腦平均會使用我們整個人百分之二十的能量，它的特性就是不會浪費任何能量在我們已經重複成習慣做的事情上。當我們學習新的知識，大腦皮層（cerebrum）自動地被激活；當我們重複做同一件事，而當這件事成了習慣後，大腦皮層就不再需要為這事情費心，因為這時我們就會用到大腦下皮層區域（subcortical region）中的基底核（basal ganglia）去處理習慣行為。被基底核處理過的行為難以改變，這也可解釋為何人們總是説壞習慣不易改啊。

習慣循環（the habit loop）有三個部分：提示（the cue）、慣常行為（the routine）、獎賞（the reward）。提示是驅使我們做某個行為的暗示，這暗示可以是地方、時間、人或感受，例如我們口乾就想喝水解渴；慣常行為是因暗示而產生的行為，例如有人習慣在睡前看半小時書；獎賞是驅使我們做慣常行為的原因，例如喝過汽水後我感到滿足，不再口乾。這感受成了獎賞，我們就會再次做這行為，慢慢地就會變成了習慣。當我每次口乾時，

我就會尋求可以喝汽水的機會。

當我們能夠預計行為帶來的獎賞，這就成了渴望（craving）。渴望是建立良好習慣的關鍵，讓我們能多維持行走於成功的路上。然後當提示誘發渴望，我們就會自然地做那行為。我們可以做的是把良好習慣與我們已有的習慣連繫上，例如我們想建立多喝水的良好習慣，起床是我們每天既成的習慣，將起床成為提示，臨睡前把一杯水放在床邊，那麼起床時就會自然地去喝水。當喝水帶來健康的身體和精神，日後每天起床後就會自動自覺地喝水。

如果我們希望改變一些我們想解決的壞習慣，我們先要把這壞習慣分析成習慣循環的那三個部分，然後保留提示和獎勵，只是改變慣常行為。例如每當工作上遇到壓力，晚上我就會約朋友到酒吧喝酒聊天，但因長期喝酒會影響身體健康，所以我想減少喝酒的頻率。提示是壓力，慣常行為是到酒吧喝酒聊天，獎勵是減壓、放鬆和得到朋友的鼓勵。找一個有同樣提示和獎勵的替代行為來代替到酒吧喝酒，可以是與朋友吃晚餐或行山。最初要改變可能並不容易，但只要每次堅持多一點，很快就可以變成新的習慣。

最後，基石習慣（keystone habit）是一個很重要並能夠完全改變人生的習慣。如果我們可以建立基石習慣，就會有連帶效應，其他好習慣會自然出現。例如每天做三十分鐘運動是我的基石習慣，做運動後會感到口渴，我會比平日喝較多水；做運動後會感到疲倦，我就會比平日早睡覺。這些都是做運動這個基石習

慣的連帶效應。每個人的基石習慣也不同，可能每個人心目中都有一個可以改變人生的好習慣，只是沒有提起勁來執行。只有想像卻沒有行動，是永遠沒辦法改變的。要改變，我們一定要主動出擊。嘗試一次努力改變，可能會失敗；但只要不放棄，再一次嘗試，總會感受到改變的好處和效果。把「努力」刻劃在大腦的基底核裡和習慣循環內，努力這態度也能夠變成好習慣，日後做每一件事都不再懶惰，不停進步，改變人生。

　　習慣和訂立目標一樣，也是始於對當下的意識。如何戒掉壞習慣，先決條件就是你要意識到這個壞習慣的存在。而這個意識就是在每時每刻我們對自己決策的覺察。在口渴的當刻，你需要補充水分，你有留意在當刻你選擇何種飲料的決策過程嗎？在想要購物的當刻，你有留意在當刻的消費行為嗎？只要我們常常對當刻有較強的意識，我們便能做出更明智的決策，去介入和調整我們人生中的各個層面，提高對未來的可控性。成功又快樂的人都會有他們的基石習慣，而且一般在每天的兩個時段起著重要作用，那就是早晨習慣（morning routine）及睡前習慣（before-sleep routine）。在這裡分享筆者的早晨及睡前習慣：

早晨習慣：
- 伸展身體十分鐘
- 閱讀三十分鐘
- 在出行途中收聽有意義的播客（podcast）
- 一天工作的最初九十分鐘會先處理最重要及最困難的工作

睡前習慣：
- 審視當天的目標清單有否完成
- 設立第二天的目標清單
- 思考有沒有可以令自己更進步的策略
- 用四十分鐘寫作

晨早及睡前的基石習慣只要每天不斷重複，日復一日，它帶出來的效果將會像滾雪球般，以幾何級數不斷增大。

$$1 \times 1^{99} = 1$$
$$1 \times (1-0.1)^{99} \approx 0$$
$$1 \times (1+0.1)^{99} = 12528$$

每個月都沒有變化，在九十九個月後，你還是那個一。每個月退步一點點，在九十九月後，你就變成了零。但如果你選擇的是每個月去進步一點點，哪怕只是 0.1，在九十九個月後，你會比原來的自己強大一萬二千倍。而這 0.1 是從哪裡來的？它只會從你每個當刻的決定而來。

不積跬步，無以致千里；不積小流，無以成江海。

千里之行，始於足下。

昨天已過去了，明天是來自未來的。
只有今天是對我們最重要的禮物。

Yesterday's the past, tomorrow's the future,
but today is a gift. That's why it's called the present.

Bil Keane

📖 延伸閱讀

Begley, S. (2007). The brain: How the brain rewires itself. *Time Magazine*, 1-6.

Boninger, D. S., Gleicher,F., & Strathman, A. (1994). Counterfactual thinking: From what might have been to what may be. *Journal of personality and social psychology, 67*(2), 297-307.

Braboszcz, C., Cahn, B. R., Levy, J., Fernandez, M., & Delorme, A. (2017). Increased gamma brainwave amplitude compared to control in three different meditation traditions. *PLOS One, 12*(1), e0170647.

Camille, N., Coricelli, G., Sallet, J., Pradat-Diehl, P., Duhamel, J. R., & Sirigu, A. (2004). The involvement of the orbitofrontal cortex in the experience of regret. *Science, 304*(5674), 1167-1170.

Chen, B., Vansteenkiste, M., Beyers, W., Boone, L., Deci, E. L., Van der Kaap-Deeder, J., ... & Verstuyf, J. (2015). Basic psychological need satisfaction, need frustration, and need strength across four cultures. *Motivation and Emotion, 39*(2), 216-236.

Coricelli, G., Critchley, H. D., Joffily, M., O'Doherty, J. P., Sirigu, A., & Dolan, R. J. (2005). Regret and its avoidance: a neuroimaging study of choice behavior. *Nature Neuroscience, 8*(9), 1255-1262.

Diener, E. (2009). Positive psychology: Past, present, and future. *Oxford Handbook of Positive Psychology, 2*, 7-11.

Doran, G. T. (1981). There's a S.M.A.R.T way to write management's goals and objectives. *Management Review, 70*(11), 35-36.

Duhigg, C. (2012). *The power of habit: Why we do what we do in life and business*. Random House.

Dweck, C. (2015). Carol Dweck revisits the growth mindset. *Education Week, 35*(5), 20-24.

Eastwick, P. W., Finkel, E. J., Krishnamurti, T., & Loewenstein, G. (2008). Mispredicting distress following romantic breakup: Revealing the time course of the affective forecasting error. *Journal of Experimental Social Psychology, 44*(3), 800-807.

Gift, P. (2012). Do two wrongs make a right in NBA officiating? An analysis of referee bias in make-up call situations. *MIT Sloan Sports Analytics Conference*.

Gilovich, T., Medvec, V. H., & Kahneman, D. (1998). Varieties of regret: A debate and partial resolution. *Psychological Review, 105*(3), 602-605.

Hall, D. T., & Foster, L. W. (1977). A psychological success cycle and goal setting: Goals, performance, and attitudes. *Academy of Management Journal, 20*(2), 282-290.

Higgins, E. T., Klein, R. L., & Strauman, T. J. (1987). Self-discrepancies: Distinguishing among self-states, self-state conflicts, and emotional vulnerabilities. In K. Yardley & T. Honess (Eds.), *Self and identity: Psychosocial perspectives* (pp. 173-186). John Wiley & Sons.

Higgins, E. T. (1989). Self-discrepancy theory: What patterns of self-beliefs cause people to suffer? *Advances in Experimental Social Psychology, 22*, 93-136.

Kahneman, D., Krueger, A. B., Schkade, D., Schwarz, N., & Stone, A. A. (2006). Would you be happier if you were richer? A focusing illusion. *Science, 312*(5782), 1908-1910.

Kahneman, D., & Miller, D. T. (1986). Norm theory: Comparing reality to its alternatives. *Psychological Review, 93*(2), 136-153.

Keysers, C. (2009). Mirror neurons. *Current Biology, 19*(21), R971-R973.

Lai, Y. Y., Wei, C. C., & Wei, C. S. (2017). The impact of increasing team size on project productivity. *Research Journal of Business and Management, 4*(2), 103-112.

Locke, E. A., & Latham, G. P. (2006). New directions in goal-setting theory. *Current Directions in Psychological Science, 15*(5), 265-268.

MacLeod, L. (2012). Making SMART goals smarter. *Physician Executive, 38*(2), 68-72.

Manson, M. (2016). *The subtle art of not giving a F*ck: A counterintuitive approach to living a good life*. Macmillan Publishers Aus.

Oettingen, G., Mayer, D., Timur Sevincer, A., Stephens, E. J., Pak, H. J., & Hagenah, M. (2009). Mental contrasting and goal commitment: The mediating role of energization. *Personality and Social Psychology Bulletin, 35*(5), 608-622.

Ritov, I., & Baron, J. (1995). Outcome knowledge, regret, and omission bias. *Organizational Behavior and Human Decision Processes, 64*(2), 119-127.

Roese, N. J., & Summerville, A. (2005). What we regret most… and why. *Personality and Social Psychology Bulletin, 31*(9), 1273-1285.

Seijts, G. H., Latham, G. P., Tasa, K., & Latham, B. W. (2004). Goal setting and goal orientation: An integration of two different yet related literatures. *Academy of Management Journal, 47*(2), 227-239.

Sheldon, K. M., & Elliot, A. J. (1999). Goal striving, need satisfaction, and longitudinal well-being: the self-concordance model. *Journal of Personality and Social Psychology, 76*(3), 482-497.

Suls, J., & Wheeler, L. (Eds.). (2013). *Handbook of social comparison: Theory and research*. Springer Science & Business Media.

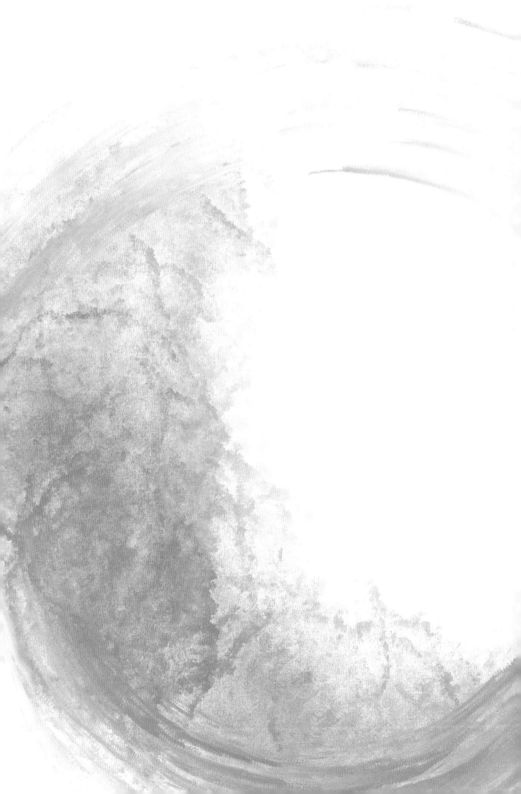

附錄：

問與答

　　本書的起始點為 Lo's Psychology 心理學科普平台日常和讀者之間的交流，筆者每隔一段時間就會運用 Instagram 的「問與答」功能和讀者溝通，兩年以來做了二十次左右這樣的活動，當中有些「問與答」，筆者相信對某些讀者來說或許能產生共鳴。所以筆者想趁著出版這本書的機會，把一些有意義的「問與答」輯錄起來作一個紀錄和見證，讀者們也可以隨時重溫。

更好的自己

Q：不知如何改變「覺得自己一無是處」的想法。

A：你知道「自我預言實現」（self-fulfilling prophecy）的機制嗎？當一個人覺得自己一無是處，他便沒有動機去作出努力和改變，然後他便不能得到任何成績，而結果將會強化覺得自己一無是處的想法，令自己真的變成一無是處。沒有什麼外力方法能幫助你改變自己的想法，惟有你開始相信及欣賞自己，情況才會有微妙的變化。

Q：還未能找到自己真正有熱誠的東西，令自己時常很迷惘又沒有方向。可能自己太過三分鐘熱度，嘗試每一樣東西都不夠毅力。

A：這是困難的人生課題，要不斷思考和接觸不同的事物。和朋友多談這個話題，另有一個很好的方法就是經常閱讀。由閱讀名人自傳開始，從他們的生命中或可有所啟發。

Q：在別人面前表現得很堅強，其實內心脆弱得很。

A：也不用太過責備自己，每個人都有脆弱的地方，脆弱可以展現出來。展現脆弱其實是很勇敢、很堅強的行為。

Q：我覺得自己很失敗。

A：跟你說哦，無論是多麼失敗的人，都必定有一些特質或優點是
　　其他人沒有的，我也很肯定，在你身上一定會有我沒有的優
　　點。嘗試找自己的優點吧，一定有的。

Q：不快樂的童年對人的成長有多大影響？

A：非常非常大。父母的教育方法和自己成長的經歷某程度定性了
　　一個人的精神體質。在家庭充滿愛的幸福環境下成長的人，在
　　心理層面上，無論是自信心、自我觀感、正面思維等都是較強
　　的。但是，我們必須相信，無論你的成長環境有多糟糕，我們
　　都有能力扭轉乾坤，即使很難，我們也可以的！

Q：我沒有信心可以從憂鬱症中痊癒過來。

A：慢慢來吧，不要著急，每個人的康復期都不一樣。在服藥或接
　　受心理治療的同時，你也要自救，改變你的生活習慣，例如勤
　　做運動、多練習冥想、多外出跟太陽「玩遊戲」。

Q：可以分享一下你鼓勵自己的方法嗎？

A：我有時候也會覺得自己好失敗。但我認為這都是感性反應而
　　已，感性之後繼續努力就是了。Just do it and work hard.

Q：可以分享一下提升自信心和溝通技巧的方法嗎？

A：閱讀可以增加你的知識，鍛煉你的品格，這些都是由內在散發
　　出來的，不能依賴一些外在的所謂技巧。

活得真累

Q：為什麼人那麼害怕改變？如何克服？

A：因為改變需要大腦重新適應，要用很多能量，大腦在自然狀態下一定會阻止你做這些事情。你要用高層次思維去阻擋大腦自然產生的恐懼。

Q：如何解釋同時認同又反對自己的心態呢？

A：這是很正常的，但這種混亂的思緒你要自己好好梳理。要瘋狂問自己為什麼支持和反對，瘋狂問自己為什麼，直到你得出一個結論。到時候你的頭腦就會清晰很多了。

Q：怎樣拿捏正向思維而避免過分樂觀？

A：現實一點，不要太過理想主義。承認自己有優點也有缺點，相信自己能力的同時，你要知道能力是要透過十分艱苦的奮鬥才能展現的。努力不懈，面對失敗卻懷著信念，然後不斷思考、修正錯誤、調整策略。我們要習慣失敗。而且要知道成功和失敗其實是不斷循環的。

Q：有什麼建議給年輕一代嗎？

A：博覽群書並每天閱讀，找出你的夢想。和能讓你前進或快樂的人做朋友。不要聽太多別人的意見。

Q：為什麼世界那麼不公平？

A：世界本來就是不公平的，接受這個現實。忘記這個拘泥於「不公平」的想法，然後想一想如何在這不公平的世界將自己變得最好，從而能貢獻社會。

Q：面對社會環境的變化，我們應該如何自處呢？

A：我們正在急速轉變的時代巨輪下，每個時代的人都會面對很多
關於「時代轉變」的問題，我們現存在世的人也不例外，今天
是法例的變化，三十年後你可能要面對人類因為知識不足而徹
底被 AI 取代，而失去人類價值的思想問題。時代不斷在變，但
不變的是，我們要讓自己不斷進步，無論是知識、思維或視野
上，我們都需要先於變化而變化。

Q：看了很多書，有時候卻覺得越看越迷惘。

A：看書看得多或少其實不是最重要的，更重要的是你有沒有運用
那些知識改變自己。我們學了東西，需要用出來，需要輸出
（outputs）。

**Q：我在新的一年希望學到不再逃避自己覺得沉悶的東西，希望可
以說到做到。**

A：我們應該把事情分成重要或不重要，重要的事情無論多麼無聊
或困難，都要開心地去做。我們不能只做自己喜歡的事，不喜
歡的事如果是很重要的話，我們也要想辦法扭轉認知，把不喜
歡的變成喜歡。

Q：從小到大，別人都說我資質不好，感受不到一點鼓勵。

A：所謂的「資質」都是訓練而來的，所以「資質」是一個持續發
展的過程，並不是一種定型或者「有或沒有」的二元特質。

活得真累

Q： 當我不再在乎社交人際關係，用平常心跟別人相處的時候，我覺得很舒服。

A： Yes. Exactly! 每個人都要學習這種心態，將專注集中於內在處，不把專注放於外在處（如他人）的時候，就是你獲得平靜及幸福感的時候。

Q： 覺得自己條件不好，令前男友不再愛我，也留不住前男友。

A： 你條件好不好不是由別人來定義，也不由社會來定義，那是自己才能定義。你要做的只是不斷讓自己進步，你要比併的只有昨天的自己，並不是去跟任何人比併。

Q： 我正在讀自己喜歡的科目，但功課很多，很大壓力。

A： 既然是自己有興趣的科目，你就要頂住巨大的壓力，讓興趣變得有價值。既然是你喜歡的，壓力都會變成無窮的動力及挑戰，協助你征服所有難題。事情並不會只有快樂及有趣，還一定會伴隨著困難及挑戰。

Q： 明明自己很厲害，卻沒有自信，總覺得自己比別人差。

A： 自信不是來自於你覺得自己有多厲害，或者比起其他人有多優秀。自信是一種自我的認可。是自己欣賞自己，和別人完全沒有關係。

Q： 對什麼都沒有興趣，也不知道該如何選擇自己喜歡的東西。

A： 你有主動去認真感受或思考每一樣東西帶給你的感覺嗎？興趣是主動找出來的，並不是被動地接收。你不找，興趣是不會突然走出來的。

Q：對自己正在做的東西很沒自信，也不知道如何克服外界的聲音。

A：你根本不需要理會外界的聲音，所以用不著去克服它。反而在自信方面要多加功夫，慢慢做、堅持做，會越做越有信心的。

Q：人為何要追求進步？

A：儘管每人都有一死，但在有限的時間我們要推動自己成為自己的最佳版本，發揮自己的影響力貢獻社會，鼓勵他人。Live the life to the fullest.

Q：Dr. Lo 花了多少時間完成心理學哲學博士？感覺是一個有趣又令人鼓舞的故事啊。

A：其實我和很多有相似背景的朋友一樣，二十七歲左右完成 PHD 課程。那並不是一個很有趣的故事，只是一個很平凡的故事。反而很多夢想或很確定的人生路向都是近兩年才開始出現的，而這平台的出現正正標誌著我的轉變。It's never too late. Keep thinking, keep reading and keep reflecting.

Q：覺得二十年後的世界會是怎樣的？

A：贏者通吃的現象會變得更普遍，例如貧富懸殊會不斷加劇。在科技突破下，我們將不斷和科技融合，例如會有更多的人體有植入的智能裝置。人類要重新開始探討自己在世界的存在角色是什麼。

Q：在成功之前，應該抱著什麼心態？

A：不要想太多你能不能成功，專注於努力及過程。在心理上準備好你會不斷失敗的情況，當失敗時不需要太過感性，冷血點，講求策略，這個策略不行就轉另外一個策略把問題解決。

Q：我永遠都覺得自己比別人差。

A：永遠都會有人比你好，如果你總是鑽進這種死胡同，那是不好的。別人比你好、比你不好都不重要，最重要是你有沒有努力讓自己進步。

Q：每次看到優秀的人，都會把他們當成楷模，但同時又會迷失了自我。

A：因為你的慾望是由外在世界來的，是來自別人身上的，是由外至內的。你沒有從內心出發思考自己想成為什麼樣的人。內功心法比外功招式更強啊。

Q：每天都很忙、很大壓力。

A：每個人都要學習應對壓力。有些人是真的不懂放鬆，但要學習。忙這方面就要審視一下，你是什麼東西都做，還是只花時間在最重要的事情上？對於不重要的事我們要「say no」，不能應付別人的需求也不需要理會，一定要學懂拒絕。

Q：有沒有一個説法是某一種人格會較容易成功？

A：我們這樣想吧，人格會有一點作用，但很多東西都是控制在你手中，我們永遠可以選擇去過快樂及成功的人生。太過「迷戀」於這些人格測試（不論是真或是假的）只會為自己設下框架界限，而你做的很多都只會是自我預言的實現。

人際關係

Q：愛情對人重要嗎？

A：在你還沒找到 1+1>2 的人的時候，愛情並不重要。但當你找到時，他將會是和你一起成長的生命伙伴，這時的愛情便很重要，愛情要讓生命錦上添花才好，爛愛情就不好了。

Q：怎樣利用心理學知識提升人際關係（包括朋友和戀人間）？

A：談戀愛時永遠不要用什麼書本的知識和理論，用你最真誠的心、最謙虛的態度就可以。互生情愫的人很容易地走在一起，不用什麼技巧。感情這回事是兩個人一起進行的，不能單方面強求。

Q：找不到一個和自己有相同興趣、瞭解自己的人。雖然有不少朋友，但仍然覺得很孤獨。

A：我們不需要強求這樣的一個人出現。人和人之間的相處要合作、互相補足、互相促進成長才是更好的關係。

Q：和好朋友漸行漸遠了，怎麼辦？

A：天下無不散之筵席。很多大家現在以為是一輩子的好朋友，五年後都可能會慢慢消失於你的生命之中，然後新的一批朋友又會走進你的生命。緣起緣滅。

Q：和男朋友分手半年，但每天還是很想他，知道他有新女友後感到好崩潰。

A：明白的，但你會等到有一天釋懷的，需要的只是時間。當某天你抬頭望著天空，覺得天特別大，世界特別大，到那天你就能從情傷中走出來。撐住。

Q：怎樣看因為性格不合而分手？夠愛就可以克服一切事情嗎？

A：愛其實沒有那麼浪漫。愛是一種行動，不止是一種浪漫的感覺。我們要和伴侶合作，即使性格不合也是可以透過合作解決的。

Q：被喜歡的人已讀不回了很久就會感到心煩，如何解決？

A：太多不必要的期望了，你跟他還沒在一起吧？沒在一起就是普通朋友，那就不要抱那麼多期望了，輕鬆點吧。

Q：女朋友比自己大兩年，我應該問她的感情史嗎？

A：這跟年齡沒有關係，她想說就自然會說。其實過去的事不用在乎吧，她以前是怎樣也不重要，最重要是她現在愛你就可以了。

Q：為什麼「渣男」都會有那麼高質素的人愛？

A：如果經常只懂愛「渣男」的，其實就不是高質素了。

Q：我分手了，覺得他根本不適合自己，但又覺得始終會跟他再走在一起。

A：分手未必是一件壞事，最壞的是明知不適合，大家又不願意或不懂得如何改變，又因為各種原因去復合，這樣就是最壞的。

Q：喜歡和愛的分別是什麼？

A：喜歡就是開心地相處。愛則不只是開心，而是會一起進步及成長。

學習、目標及夢想

Q：可不可以分享你對學習的看法？

A：學習是終生的。不要混和 schooling，schooling 就是平時大家
上學考試那種。考試只是 schooling system 的遊戲規則。我們
要「玩得好」就要拿高分。但分數並不代表你是否正在學習，
能夠將知識應用於自己身上，令自己每天都有進步，這才算是
學習。所以大家不要讀完書（完了 schooling）就停止學習。
學習不只在學校，而是在任何地方、任何途徑，可以是書本、
別人、紀錄片等。

Q：人生目標，用錢還是什麼作指標好？

A：人生目標並沒有所謂高貴或庸俗之分。有些人的目標是物質，
有些人的目標是非物質的（例如環境保護之類），並沒有誰好
誰不好。

Q：有人說，時下大部分年輕人的夢想是置業或旅遊。你怎樣看？

A：這要看每個人對於這兩件事的心態是怎樣的。例如置業，如果
你是從人有我就要有、不能置業代表失敗、怕被人看不起為
出發點，這是不健康的。個人認為置業與否應從財務方面去
考慮，在香港若然不想不斷被偷錢（被財團吸走或現金貶值
等），置業是其中一個基本方法去扭轉財務局面。但建立資產

不止有置業這個途徑，資產可以有很多種形式。旅遊方面，每個人的出發點都不一樣，可以是為了放鬆心情或逃避現實，如經濟能力許可，又是令你重拾快樂和動力的方法，不錯呀。

Q：如果真的沒有讀書的興趣，是否應該早一點出來社會工作呢？

A：某程度上我是同意的。但要留意，你必須要有清晰的工作發展目標，不然只為不想讀書而出來社會工作，其實只是在逃避。另外，早點出社會工作不代表你可以停止學習，你仍然要不斷學習，例如進修或閱讀。

Q：我正在很努力地去克服現實和夢想之間的差距。

A：每個追夢的人都在克服這個差距。試想想，若沒有這個差距，那還是夢想嗎？夢想就是難以實現才叫夢想啊。

Q：大學選科應該是為了興趣，還是為了將來的「錢」途呢？

A：這是人生課題。我會建議跟興趣，因為將來的收入與你讀什麼學系其實沒有太大關係（除非某些特殊科目）。另外，如果想收入更好的話，應該思考的是創業。

Q：大學三年級了，還不知道未來的路應該如何走，沒有夢想，也沒有目標。

A：你不能夠一味就說自己沒夢想、沒目標。你要去主動找回來啊，夢想和目標不是天生就會有的。每個人的夢想和目標都是自己努力找回來的。思考、嘗試、交談、閱讀。

Q：如何應對讀書產生的焦慮？我讀著看不懂的文章就會很焦慮。

A：技術上來說，看不懂是很正常的現象。所有焦慮的來源都是來自於對未發生事情的擔心。試將鏡頭一轉，來到現在這一刻，不要聚焦在未來上。把鏡頭聚焦於這一刻你看見的影像、聽見的聲音、身體的感覺。

Q：人生去到一個小高峰，但很怕會從高峰處掉下來，壓力很大。

A：將追逐目標視為一個旅程，不是一個終點。一個旅程必然有高有低，這刻的高峰不代表什麼，它並不是恆定的。

Q：金錢好像變了生存的唯一目標。

A：我們必須承認金錢是十分重要的。可是，老生常談也好，或是從心理學的研究顯示所知，如果做事只為了最後的金錢結果而忽略了感受當下付出努力的過程，不論對個人的動機（motivation）和事情的結果（outcome）都是有害的。

Q： 到底應該保護個人利益，還是社會整體的利益呢？

A：這是很個人的選擇，就如個人目標也有人以自我為中心（self-oriented），例如我要做到什麼職業、我要賺到多少錢；另一些人的目標則是以他人利益為中心（society-oriented），例如我希望可為環保事業出一分力。事實上一個取向也可能同時有利己及利他的動機在內，例如一個環保分子想創立一間公司推動環保訊息，同時亦希望掌控名聲及權力。

活得真累

Q：你有沒有一個理想世界的藍圖？

A：世上沒有絕對的烏托邦。世上有甜酸苦辣。世上也沒有絕對的公平。正因為如此，每個人都應由個人做起，讓自己變得更強、更會思考，自己變強才能讓社會變得更好，每個人的理想藍圖才會較為接近。

Q：學習最重要是什麼？是否要背誦很多東西，會很辛苦嗎？

A：讀任何一科，你想讀得好，都必須下苦功，所以你一定會很忙，課業很重。辛苦與否視乎你如何看待，有些人壓力很大卻不會覺得辛苦。記東西是一定需要的，但我不會稱這個動作為「背誦」。沒有經過消化強記資料的背誦是沒有意義的，真正理解知識後才能好好記住和運用知識。學生讀書時總是太過悠閒和任性，每樣東西讀起來都像蜻蜓點水，喜歡的就多看幾次，卻沒有用力去吸收。不喜歡的就看也不看。要做好一件事，不論任何領域，我們都不應以個人喜好作為依歸，要以目標為大前提。如果這種知識或技巧對達成你的目標是必須的，那無論你有多討厭，你也要學好它。

Q：如何能做到有效閱讀？我想做到博覽群書，所以很多時候會急於求成。

A：不要執著「速讀」這回事，要執著的是，每天去閱讀，然後以閱讀到的知識去改變行為。讀完要消化應用，最重要是改變行為。將閱讀當成像吃飯的工作。閱讀是一件大事，不要等到空閒時間才做，每天都要特別劃分時間去閱讀，例如建議可以在上班和下班的交通時間上養成閱讀習慣。每天三十分鐘，幾年下來你會變成另一個人，信我！

Q：我不斷嘗試思考自己究竟想要做些什麼，不過好像也不太成功……

A：尋找人生方向是很難的，不要期望一天、一個月就可以找到。除了想，還要做。你有沒有以行動不斷嘗試各種東西？有沒有以行動不斷汲取各種知識？例如每天閱讀開拓思維？

Q：一直也找不到工作，感到很挫敗。

A：回歸原點，審視一下哪裡可以有改善的地方。最重要是轉變方法，不成功的方法試一千次都不會成功。例如你可以審視你的CV（履歷表），大刀闊斧地重寫一次，以不同的方法再嘗試。

Q：最有用的大學科目是什麼？

A：什麼是最有用？如果以賺錢多少來衡量是否有用的話，那麼讀書可能都不太有用。有用與否視乎你如何運用學到的知識於生命中，一個讀「神科」卻只懂把知識應用到考試拿高分的學生，「神科」對他來說也不見得太有用。

Q：讀完大學覺得知識都沒有什麼深度。

A：我當年讀完大學也是這樣認為，還記得那天考完最後一科，那種「我這幾年來讀了什麼」的感覺特別強烈。這需要時間浸淫，還有年歲的增長。年歲大了，思維會更縝密，就像七年前博士畢業時的我，比起現在的我差太多了吧。人生是一場永遠要進步變好的遊戲。

關於心理學知識、進修及就業

Q：既然 Sigmund Freud 的理論都被認為是沒有科學根據的，為什麼我們還要學習？

A：他的理論對後世各個方面影響甚鉅，每個心理學學生都要瞭解。至於說他的理論沒有科學證據是人所共知的事，但這不減低精神分析學派的影響力，這些東西對分析行為是十分重要的（不要理會有沒有科學根據）。

Q：讀心理學最大的好處是什麼？

A：可能是不會那麼容易看人不順眼吧！因為你會知道很多人類的劣根性，例如歧視、偏見、不忠等都是很正常的事情，你會少了很多「為什麼」。

Q：怎樣看 Sigmund Freud 這個男性中心主義者？

A：那個年代的世界就是男性中心的。所以六十年前的心理學理論都具有歧視女性的色彩（以現今的視角來看）。他是一代心理學宗師級大師，儘管他的理論以現今的角度來看相當主觀及不科學，但他的確貢獻很大，在很多領域產生深遠影響力。值得注意的是，兒童經歷對性格形成的重要性亦是由他主導提出的，他的潛意識理論也是開天闢地般創新。

Q：很快就心理學學士畢業，對未來很迷惘，不知道應該找工作還是讀碩士？

A：不要因為不知道該做什麼就胡亂讀書，因為那是金錢和時間的投資。讓自己安安靜靜地思考一個月，再作決定。記得要去想、去思考你做每個決定時的原因是什麼。

Q：現在二十七歲才讀社工高級文憑，覺得自己太遲起步，後悔少時沒有努力讀書。

A：十年後成為出色社工的你才三十七歲，一點也不老呀！

Q：我決定讀完翻譯學之後讀心理學碩士，想有些心理準備。

A：每次聽到有人說要完成學士學位再讀心理學碩士時，我都會建議大家必須十分十分清楚你未來想要的職業發展路徑是怎樣的，然後要收集足夠的資訊。

Q：數學差的人讀心理學會辛苦嗎？

A：不會啊，世界任何事，只要你覺得辛苦，就會辛苦；只要你覺得不辛苦，那就不會辛苦。辛不辛苦，都是你心態上的選擇。

Q：我剛剛中學畢業，沒讀過心理學，也沒有讀過生物學等，會不適合在大學讀心理學嗎？

A：喜歡就去讀，不用想太多，我不認為有上述科目的學術背景會對修讀心理學有特別優勢，有興趣比有學術背景更重要。

Q：從大學的心理學學系畢業了，都不知道自己讀了些什麼。

A：這也是我當年大學最後一科考試後的感受。一個完整的心理學思維模式真的不是可以在四年的大學課程中就培養出來，要追求高等學位，然後浸淫在心理學事業中才可以得到。

Q：我準備去外國讀心理學，但又害怕心理學很難。

A：難的話是不是就不讀呢？如果不是的話，那難或不難又有什麼關係？同一樣東西，總有人說好，有人說不好；總有人說很難，有人說不難。難或不難，不是重點。努力的話什麼都不難，不努力的話什麼都難。一勤天下無難事。

Q：現正在讀心理學，在思考完成學位課程後應該先去報讀碩士，還是先出來社會工作？

A：這取決於你讀碩士的目的為何。人在學生時代總不會珍惜學習的機會。通常人在工作幾年後再重返校園，反而更加明白讀書對他的意義是什麼，無論在思想、學習動機、行為和讀書方法上都會是大熟大勇。

Q：大學讀心理學的話，一定要繼續進修到碩士才有用嗎？

A：這問題分為很多個層面。什麼是有用？如果容易就業代表有用，那讀完普通的碩士也不一定有用。如果你目標很明確的話，那你讀什麼科都會很有用。如果有用是指豐富知識的話，只要你有用心去讀，那讀什麼科也是有用的。

Q：怎樣看催眠或催眠師？

A：一些正統訓練的臨床心理學家也會做催眠。儘管我們經常説催眠不科學什麼的，但有時候可能也真的幫到人。所以責任在於施展所謂催眠的人身上。任何武功，擺在惡者身上，都會取人性命；放於仁者身上，卻能救急扶危。沒有真材實學的人，就不要做這些工作了。

Q：坊間很多人以心理學為名，開講座寫部落格，卻不是讀心理學出身，你有什麼看法？

A：這是一個很有趣的問題。心理學家這個職業不像醫生有法律保護，冒認心理學家並沒有犯法，所以他們（很多人）是可以這樣做的。網上世界都是強調個人品牌的推廣（personal branding/marketing），誰有名氣誰就有機會，有名就有利，這是不變的定律。另外，沒讀過心理學的並不代表他不懂，但沒有受過正統訓練，是不能訓練出心理科學思維的，這需要數年時間才行。所以靠自學的話，很難分辨什麼是真、什麼是假，會比較容易相信一些道聽塗説的偽科學知識。但是，如果是分享一些很普遍的心理學知識，那倒無傷大雅。最重要是分享的知識必須是真科學知識。

後記

　　Lo's Psychology 心理學科普平台自二〇一九年十一月以來，承蒙各出版商的愛戴，迄今已經出版了四本心理學科普讀物。而這本《活得真累——正向心理學給你的三把人生鑰匙》是筆者最喜歡的一本。它不像一本教科書只跟大眾介紹心理學理論，而是在現實生活的層面上，協助讀者解開心理枷鎖的同時，以心理學知識穿插於論述之中，令讀者能以一個截然不同的視角去看清自己的內心深處。

　　每個人在人生的路途上都會在某段時間感到迷惘，不知道自己該往哪個方向走。面對著此等迷惘，「改變」就是最重要的兩個字。我們需要改變自己的生活習慣，或許借助培養新的恆常閱讀習慣；或許要開放自己的胸懷，主動多認識正面的朋友，擴大自己的社會網絡；又或許更主動地學習新知識、新課程。這些日常的改變會令我們得到源源不絕的啟發，而這些啟發，就是令我們不再迷惘，找到人生方向的重要法門。

　　我們和社會上很多其他的人一起生活，我們的抉擇也受著許多其他人的影響。面對著世事的紛紛擾擾，我們應該把重心從「外在世界」轉移至「內在世界」，所有的動機必須由內至外，而不是被外在世界的任何人影響及控制。只要當能量由內在開始散發出去，才能得到真正的幸福感，這樣動機才會長久及經得起時間的考驗。

　　我們的人生除了由「內在世界」和「外在世界」這個橫向的界面組成外，還由縱向的時間軸包括過去、現在和未來組成。除了將我們的專注力移向內在世界外，同時我們也要把它放到「此時此刻」上。「此時此刻」的英文是present，而present在中文上的另一個意思恰恰就是「禮物」。此時此刻就是對我們每個人的禮物。我們每個人每一刻都有一份最好的禮物，但我們偏偏會把這份禮物拋諸腦後，執著於過去，擔憂著未來，卻忘記「現在」就是最好的。

　　「改變」、「內在世界」、「現在」就是解開很多人生枷鎖的三條鑰匙。

　　祝各位都能找到突破心理關口的「鑰匙」，令自己振翅高飛。

Dr. Lo
Lo's Psychology 心理學科普平台創辦人
二〇二一年五月二十日

活得真累

——正向心理學給你的三把人生鑰匙

作者	Lo's Psychology
總編輯	葉海旋
編輯	李小媚
助理編輯	周詠茵
書籍設計	Terena Wong
內文圖片	Shutterstock (p.71)
	123rf.com (p.96)

出版	花千樹出版有限公司
地址	九龍深水埗元州街 290-296 號 1104 室
電郵	info@arcadiapress.com.hk
網址	www.arcadiapress.com.hk
印刷	美雅印刷製本有限公司
初版	2021 年 7 月
ISBN	978-988-8484-82-9